ChatGPT「超」勉強法

野口悠紀雄
YUKIO NOGUCHI

プレジデント社

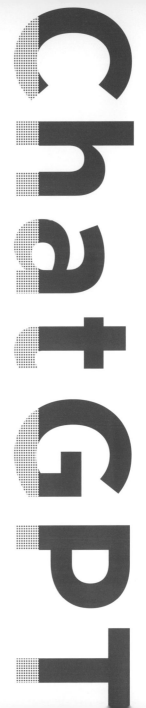

はじめに
ChatGPTが勉強に革命を起こす

ChatGPTの「幻覚現象」を避けながら、勉強に活用するには？

これまでの教育は、学校での教師の授業を中心になされてきた。ところが、生成ＡＩであるChatGPTが２０２２年の秋に登場し、勉強の方法に革命的な影響を与えようとしている。科目によっては、人間の教師よりもChatGPTのほうが知識伝達を効率的に行なえるからだ。この大変化に対応して、勉強の方法や教育の仕組みを、根底から変える必要がある。

では、ChatGPT時代にはどのような勉強法が必要になるのか？　本書の目的は、この問いに答えを与えることだ。

ChatGPTをうまく利用すれば、勉強の成果に著《いちじる》しい効果がある。ただし、現在の技術では、ChatGPTに全面的に依存することはできない。なぜなら、ChatGPTの答えには、誤りがありうるからだ。これは**「ハルシネーション」（幻覚）**と呼ばれる現象だ。これをいかに避けながら勉強に活用するかが、重要な課題となる。本書は、これについて、いくつかの具体的な方法を示している。

ChatGPTは外国語に強く、数学で弱い

ChatGPTをどう利用できるか、人間の教師をどの程度代替できるかは、教科によって異なる。その詳細は本書の第Ⅱ部で科目ごとに論じるが、概略を示せばつぎのとおりだ（表参照）。

ChatGPTがきわめて有能なのは、言葉の勉強、とくに英語など外国語の勉強だ。ここで、ChatGPTは、人間の教師が及びもつかないほど絶大な力を発揮する。国語の勉強にも有用だ。正しい表現や適切な表現などを教えてもらうことができる。

一方で、慎重な利用が必要とされる分野もある。その代表が、算数・数学だ。なぜなら、ChatGPTの数学的能力は低いからだ。数学だけでなく、形式論理で間違うこともしばしばある。うかつに使えば、有益な結果が得られないだけでなく、誤った知識を学習してしまう危険がある。

ChatGPTは言葉を扱う仕組みであり、そのため、数学的推論では能力に欠けるところがあるのだ。これは、多くの人にとって意外なことだろう。実際、ChatGPTの学習への利用に関するアンケート調査の結果を見ると、数学の勉強に利用するとの回答が多い。しかし、こうし

科目別のChatGPTの役割

科目	ChatGPTの利用可能性	人間の教師の必要性
外国語	非常に有効、とくに文章を書くことで	必要なくなるかもしれない
数学	独学のカリキュラム作成	どうしても必要
国語	適切な表現を求める	必要
社会科	正しい情報が得られれば非常に有効	ハルシネーションを克服できれば不要になる
理科	正しい情報が得られれば非常に有効	ハルシネーションを克服できれば、実験などを除いては不要になる

た利用法は間違いなのだ。

以上で述べた外国語と数学が両極端だ。社会科や理科は、これらの中間になる。うまく使えば、ChatGPTは理想的な家庭教師になる。そして、興味を維持しつつ、楽しく勉強を進めていくことができる。

このように、ChatGPTがどの科目で有用であり、どの科目でそうでないかを正しく知ることが重要だ。

『超「超」勉強法』の基本原則は変わらない

本書は、2023年3月に刊行した『超「超」勉強法』の続編となっている。この本を執筆したとき、私はすでにChatGPTを使い始めていたが、『超「超」勉強法』では、その影響について、十分に論じることができなかった。第4章でChatGPTの登場を紹介し、第6章でChatGPTについて簡単な評価を行なうにとどまった。

本書は、『超「超」勉強法』の考えを基本としつつ、

ChatGPTが勉強法をどのように変えるか（あるいは、変えないか）を、中心的な課題として考察している。

英語などの外国語の勉強については、『超「超」勉強法』で強調した「**丸暗記法**」が、ChatGPTの利用によって容易になる。これは、ぜひとも活用すべき大変化だ。

数学の勉強について、『超「超」勉強法』では、問題の解き方を自分で考え出す必要はなく、解き方を暗記し、それを実際の問題に応用する訓練が重要だと述べた。この考えは、ChatGPTの時代においても変わらない。国語、社会・理科については、ChatGPTが新しい勉強の方法を提供する。

なお、『超「超」勉強法』と同じく、本書は学齢期の勉強（小学校から大学まで）を念頭に置いている。ただし、ここで述べる方法は、社会に出てからの独学やリスキリングにおいても等しく有効だ。

◆◆◆

本書は3部から成る。第Ⅰ部では、ChatGPT利用の基本について述べる。ここで強調しているのは、ハルシネーションへの対処だ。第Ⅱ部では、ChatGPTをどのように使えるかを、教科ごとに具体的に示す。第Ⅲ部では、教育制度にどのような影響が及ぶかを述べる。

第1章では、ChatGPTと「超」勉強法の基本的なつながりを考える。「超」勉強法の原則の一つは、全体を捉えることによって部分を理解することだ。そのために、できるだけ早く先に進むことだ。これによって、興味を維持しながら勉強することができる。

私は、これまで様々な機会に、**「勉強は楽しい」**と強調してきた。そして、そのための具体的な方法を提案してきた。ChatGPTは、「超」勉強法を実行するための理想的な手段だ。

第2章では、ハルシネーションとそれへの対処について述べる。ChatGPTが出力する結果は、常に正しいとは限らない。ChatGPTは、数学的推論や形式論理の応用で、しばしば誤る。また、社会科や理科でも間違った答えを出す場合がある。

学生が誤った知識を身につけてしまわないよう警告を発することが、喫緊の課題だ。ハルシネーションが生じる原因の一つは、生成ＡＩが数学の法則や論理法則を理解する際の仕組みにある。ChatGPTは、これらを言葉（あるいは数字）と言葉（数字）の関係として捉えている。数学的推論能力が低い基本的な原因は、ここにあると考えられる。これは、**「シンボル・グラウンディング問題」**と呼ばれる難問だ。

ハルシネーションに対処する一つの方法は、使い途《みち》を限定化することだ。また、ChatGPTの答えを書籍や検索エンジンでチェックすることも必要だ。

第3章では、ChatGPTの基本的な役割について論じる。ChatGPTを用いれば、検索語が分からなくても調べることができるし、適切な検索語を知ることもできる。また、長い文献のどこを読めばよいかも分かる。つまり、ChatGPTは、最終的な知識を教えるというよりは、そこに至る手助けをするのだ。最終的な知識は、書籍や文献にある。ChatGPTから有益な答えを引き出すためには、質問力が重要だ。

第4章では、ChatGPTが英語（外国語）の勉強にきわめて大きな影響を与えることを述べる。丸暗記法のための教材をいくらでも教えてくれるし、その助けを借りて文章を書き、それを丸暗記するという利用法もある。なお、英語の勉強で話す訓練は必要ない。正しく聞くことができれば、自動的に話せるようになる。

日本の英語教育では専門用語の訓練がきわめて不十分だったが、これをChatGPTが大きく変えてくれることが期待される。

ただし、言葉は文化であるので、外国語を勉強する必要性はなくならない。

第5章のテーマは、国語の勉強だ。ChatGPTは、文章の校正で非常に高い能力を持っている。この能力を活用して、自分が書いた文章を直してもらう。とくに敬語の使い方については、この方法が有用だ。また、例や比喩などで適切なものを教えてもらうこともできる。

日本語には適切な類語辞典がないのだが、ChatGPTがそれを補ってくれる。ただし、ChatGPTの書く文章が適切なものである保証はない。また、形式論理を間違えることもある。

第6章では、算数・数学の勉強について述べる。ChatGPTの数学能力は低いので、慎重な利用が必要だ。『超「超」勉強法』で強調した「丸暗記法」を行なうのがよい。ただし、現在勉強していることが実際にどのように応用できるのか、数学全体の中でどのような位置づけなのかなどは、ChatGPTに教えてもらうことができる。

第7章のテーマは、社会科と理科だ。ここでは、とくに歴史、経済学、物理学の勉強について述べる。ChatGPTを使えば、知りたいこと、疑問に思っていることに直ちに答えが得られるので、社会科や理科の勉強が楽しくなる。読み尽くせないほど巨大で、面白い本を読んでいるような楽しさを覚える。

第8章では、まず、人間の教師とChatGPTの役割がどう変化するかを考える。外国語では、ChatGPTへの代替が進むだろう。他方、数学では、人間の教師の役割が依然として大きい。国語や理科・社会科はこれらの中間だ。どの学科でも、「何を学ぶべきか」を指導するのは、人間の教師の重要な役割だ。

文部科学省のガイドラインなどでは、課題論文をChatGPTだけで書くことを禁じているが、これを実行しようとすれば、現場では様々な問題が発生するだろう。ChatGPTを積極的に取り入れる方向に転換すべきだ。

なお、就職活動でのエントリーシートをChatGPTで書ける時代になっている。この機会に、エントリーシートはやめにすべきだ。

第9章では、様々な技術革新が知の独占を破壊してきたことを見る。生成AIは、この傾向をさらに進める。その中で、大学が生き延びることができるか否かを考える。

第10章では、社会的な共同生活を行なう訓練の場としての学校の役割を考える。これは、ChatGPTによっては代替できないものだ。イギリスのパブリックスクールや大学のカレッジ制での教育がこうした面を重視していることを指摘する。また、社会に出た後の勉強も重要な課題だ。

◆◆◆

本書は基本的に書き下ろしだが、一部は「現代ビジネス」「東洋経済オンライン」「ダイヤモンドオンライン」「ビジネス＋ＩＴ」「時事ドットコム」「金融財政ビジネス」に公開した記事をもととしている。これらへの掲載にあたってお世話になった方々に御礼申し上げる。

本書の刊行にあたっては、株式会社プレジデント社の村上誠氏、株式会社マーベリックの大川朋子氏にお世話になった。御礼申し上げたい。

２０２３年12月

野口《のぐち》悠紀雄《ゆきお》

ChatGPT「超」勉強法

目次

第3章 ChatGPTは知りたいことに辿り着くためのガイド

第Ⅱ部 ChatGPTで勉強力が大躍進

第4章 外国語の勉強が根底から変わる

第5章 ChatGPTは国語の勉強の強力な助け

第7章　世界は不思議で一杯
興味が尽きない歴史と物理の勉強

ChatGPT「超」勉強法

第Ⅰ部

理想的な家庭教師の登場

第1章

「超」勉強法が求めていた手段が出現

1

ChatGPTで「フレーム問題」を解決

できるだけ早く先に進んで、全体を捉える

私は、「超」勉強法という方法を提唱してきた。[注1] これは、いくつかの点で、常識的な勉強法とは異なるものだ。

「超」勉強法の原則の一つは、全体を捉えることによって部分を理解すること、そして、そのために、できるだけ早く先に進むことだ。

数学、物理学、統計学などでは、基礎概念を学んでからその応用に進むべきだと考えられている。しかし、基礎概念から順に進んでいくという方法は、効果的な勉強法ではない。

効果的でない最も大きな理由は、基礎は退屈で難しいことだ。例えば、微分法の基礎を完全に理解するのはたいへん難しい。それに拘泥《こうでい》するより、微分法の公式を使って問題を解くほうが重要だ。証明なしで定理を使い、それがどのような可能性を持っているかを知る。そしてつ

ぎに証明を見、さらに概念を学ぶ、という方法のほうがよいのである。これは、ガソリンエンジンの原理を理解していなくとも、とにかく自動車の運転を始めてみるのと同じことだ。

「超」勉強法では、右の原則に加え、「数学の問題を自分で考えて解くのでなく、解き方を暗記して、様々な問題に当てはめればよい」こと、「何が重要かを把握し、努力をそこに集中すべき」ことをも強調した。そして、これらを合わせて、**〈「超」勉強法の3原則〉**とした。[注2]

山登りで頂上まで行けば、視界が開けて、下界の様子がどうなっているかを把握できる。それと同じように、勉強においても、ある程度進んでから振り返れば、様々な概念の意味や重要度が分かるのである。その意味で、「できるだけ早く進め」という原則と、「重点化が必要」という原則は、密接に関連している。

過去問→百科事典→教科書

「超」勉強法は、私自身の経験から生み出したものだ。

注1　野口悠紀雄『超「超」勉強法　潜在力を引き出すプリンキピア』、プレジデント社、2023年。

注2　『超「超」勉強法』第7章の1。「数学の解き方を暗記せよ」というのは、早く先に進むための手段であり、重点化を可能にする手段だ。

私は、大学では工学部で勉強していたのだが、4年生になってから経済学に興味を持ち、経済や社会に直接関連した仕事をしたいと思うようになった。法学部や経済学部に学士入学することも考えたのだが、そうするための経済的・時間的余裕がなかったため、国家公務員試験の経済学の科目を受けることにした。

そして、「基礎から徐々に」ではなく、最初から過去問に挑戦した。分からないところは、経済学の百科事典で調べる。教科書を見るのは、最後だ。つまり、教科書→百科事典→過去問という普通の方法を逆転させ、過去問→百科事典→教科書という順で進んだのだ。普通の順序とは逆なので、私は、これを**「逆向き勉強法」**と呼んでいる。

このやり方なら、試験で良い点を取るという目的に必要な知識だけを最短時間で勉強できる。非常に功利主義的だが、時間の制約がある中で目的を達成するには、徹底して合理的である必要がある。

逆向き勉強法だと、全体の構造が早く分かるので、何が重要かが分かる

新しいことを勉強する場合にまず必要なのは、何を勉強したらよいかを知ることだ。学校で勉強する場合には、勉強の内容や進め方を示すカリキュラムを学校が準備してくれる。しかし、独学する場合には、自分で判断しなければならない。これはたいへん難しい。

これから勉強するのだから、その内容について詳しくは知らない。知らないことについて何を勉強したらよいかを判断するのは、それほど簡単ではない。

普通の方法だと、つぎのようになる。まず、その分野の代表的な教科書を、最初から順に読む。分からない語句や概念が出てきたら、百科事典などで調べる。そして最後に、その分野の試験問題を解く。しかし、この方法だと、全体の体系がなかなか分からず、どこが重要なのかの判断ができない。

これに対して、逆向き勉強法だと、全体の構造が早く分かる。全体の構造が分かると、何が重要で何が些細《ささい》なことかの判断ができる。こうして、「超」勉強法の原則の一つである**「重点化」**が実現できるのだ。

全体を捉えることで「フレーム問題」を解決する

ＡＩ（人工知能）に関する難問の一つとして「フレーム問題」というものがある。これは、問題解決のために必要な検討事項を、どの程度の範囲に設定するかという問題だ。重要な事項をなおざりにすると、失敗する可能性が高い。かといって、あまりに些細なことまで検討すると、所定時間内に処理できない。

実は、この問題は、人間においてもある。前項や前々項で述べた「重点化」がそれだ。「重要なことは何かを見出し、それに努力を集中する」のは、勉強に限らず必要とされることだ。問題は、「何が重要か?」を見出すことだが、勉強の場合には、「先に進んで、全体を把握する」ことが、「フレーム問題」の答えを見出す最も効果的な方法なのである。

「超」勉強法にはヘリコプターが必要

「超」勉強法では、基礎に拘泥せず、できるだけ早く先に進んで全体を捉える。このために、助けを借りてもよい。逆向き勉強法を行なうには、道具が必要だ。なぜなら、基礎から順に進んでいるわけではないので、分からない用語や概念がつぎつぎに出てくるからだ。それらの意味を知るには、手助けが必要だ。

私が国家公務員試験のために勉強していたときには、前述したように、このために経済学の百科事典を用いた。このことを、「百科事典というヘリコプターの力を借りて、できるだけ高いところに登る」と表現してもよい。そのため、逆向き勉強法を**「ヘリコプター勉強法」**とも呼んだ。

ある頃まで、勉強は、順序立てて進まなければならなかった。例えば歴史であれば、時代の順に勉強する。知りたいところだけをピンポイントで知るのは簡単なことではなかった。だが、百科事典をヘリコプターとして使うことによって、「超」勉強法が可能になった。百科事典は、知の大衆化のためにたいへん重要な役割を果たしたのだ。

検索エンジンというヘリコプターで、「超」勉強法がより強力になった

インターネットが利用できるようになり、さらにウェブ記事を検索できるようになって、「超」勉強法の道具が非常に強力になった。知りたいことを、直接ピンポイントで知ることができるようになったからだ。

従来は百科事典で進めるしかなかった「超」勉強法が、インターネットと検索エンジンという新しい手段を得て、より強力なものになった。これによって、知の大衆化がさらに進んだ。これらを使えなかった時代には、「知りたいことを知る」というのは、それほど簡単なことではなかったのだ。インターネットと検索エンジンが利用できるようになってから成長した世代の人々には、こうしたことを実感できないだろう。

2

ChatGPTは知りたいことに答えてくれる

本は著者の問題意識で書かれている

百科事典と検索エンジンに加えて、いま、もう一つの新しい手段が現れた。それが、ChatGPTだ[注1]。これを使うことによって、「超」勉強法はさらに強力なものになる。

ChatGPTがこれまでの手段に比べて優れているのは、知りたいことに対して答えてくれることだ[注2]。これまでの情報源は、教科書にしても参考書にしても、書いてあるのは、著者が読者に伝えたいと思うことだ。つまり、著者の問題意識で重要とされていることだ。ところが、それが読者の観点と一致している保証はない。読者はそこに書いてあることとは違うことを知りたいと思っている場合もある。そうした場合、いくら参考書や教科書を読んでも、答えを得ることはできない。

検索エンジンでウェブの記事を調べても同じことだ。検索エンジンでヒットするのは、検索語が含まれている記事であり、こちらの知りたいことがその記事に書かれている保証はない。
このような場合、従来は人間に聞くしか方法がなかった。学校の先生や物知りな人に聞けば、こちらが知りたいことに対して答えてくれるかもしれない。しかし、そうした人たちに必ず聞けるわけではない。家庭教師を雇っていれば、知りたいことを聞けるだろうが、そうであっても、24時間365日、知りたいと思ったときに答えてくれるわけではない。それに、人間の場合、どんなに物知りであっても、その知識には限度がある。だから知りたいことを必ず教えてくれるとは限らない。

注1　ChatGPTは、生成AIのうち、大規模言語モデル（LLM）と呼ばれる言語を扱うAIの一つだ。これについての詳しい説明は、野口悠紀雄『生成AI革命　社会は根底から変わる』（日経BP、2024年）第6章を参照。なお、本書ではChatGPT、LLMなどを、厳密に区別せずに用いている。

注2　ただし、ChatGPTの事前学習データは2021年9月までのものなので、それ以降のことについては答えられない。これらについては、別の対話型AIを搭載した検索エンジンBingや、Googleが提供する生成AIのBardを用いる必要がある。
また、もう一つ重大な問題がある。それはハルシネーション（幻覚）だ。まったくの間違いが堂々と出てくることもある。これについては、第2章で詳しく論じる。

ChatGPTは、知りたいことを教えてくれる

例を示そう。本書の第10章で、学校制度について論じている。その中で、イギリスのパブリックスクールと、ドイツやオランダのギムナジウムを取り上げた（第10章の1）。

私が知りたいのは、「エリート教育の観点から見て、これらに差があるか？」ということだ。パブリックスクールが上流階級のためのエリート養成校であり、そのために社会的な批判もあることはよく知られている。では、ドイツやオランダのギムナジウムはどうか？　これは、ヘルマン・ヘッセの小説にも登場するので、大学受験のための学校だということは分かる。だが、エリート養成校という性格は、イギリスのパブリックスクールよりは弱いように思われる。そのことを確かめたいと、昔から考えていた。

しかし、これに関して明確に書いてある資料は、これまでいくら探しても見出せなかった。ウェブを検索すると、ギムナジウムに関する資料はいくらでも出てくるのだが、私が知りたいことについての説明はない。ところが、ChatGPTにこれを尋ねたところ、直ちに的確な答えを示してくれた。私が前から漠然と想像していたように、ドイツやオランダのギムナジウムはエリート教育的な性格はそれほど強くないということが、あっという間に分かった。

3

好奇心が満たされると、楽しい

興味のあることを知るのだから、面白い

私が国家公務員試験受験のために逆向き勉強法を行なったのは、時間の余裕がなかったからだ。いまChatGPTが使えるようになって、逆向き勉強法は、単に時間を節約する効果があるだけでなく、興味を維持しながら勉強するためにたいへん有効な方法だと痛感する。これを説明するために、本章の2で述べたことを、情報の「プッシュ」と「プル」という概念を用いて、つぎのように言い換えてみよう。

「情報のプッシュを受ける」とは、押し出されてくる情報を受け止めることだ。そして、それを理解したり、記憶したりする。それに対して、自分が知りたいと思う情報を引き出すことを、**「情報をプルする」**という。

普通の勉強法は、情報のプッシュを受ける性格が強い。それによって得られるのは、必ずし

も自分が知りたいと思っていることではない。だから、勉強が退屈になってしまう。

それに対して逆向き勉強法の場合には、知りたいことや興味があることを調べる。つまり、情報をプルしているのだ。だから、面白い。

人間は誰しも好奇心を持っている。謎があり疑問がある。それに対する答えが得られれば、面白いと思う。「超」勉強法がなぜ有効かといえば、**勉強が嫌々ながらやるものではなく、面白くてたまらないものになるから**である。

ChatGPTを用いる勉強法では、この利点を最大限に活用することができる。クイズを解きながら勉強しているようなものだ。ChatGPTでは自由自在に情報をプルすることができるからだ。

理科や社会科は、とてつもなく面白くなる

好奇心が満たされるのは楽しいことだ。勉強の楽しさは、まさにこの点にある。それまで知らなかったことや疑問に思っていたこと、あるいは、あやふやにしか理解していなかったことが分かるのは、とても楽しい。

ところが、これまでの勉強は、必ずしも好奇心を満たすものではなかった。教科書によって勉強すべき内容が与えられ、それを理解したり覚えたりすることを強制されるからだ。このた

め勉強が苦痛になる。

多くの子供たちが、学校の勉強を「つまらない」と感じているが、その理由は、学校で教えられていることが、自分の関心事や好奇心に関係のないことだからだ。だから、興味を持てず、勉強はつまらないもので、辛いものになってしまう。ところが、ChatGPTを用いれば、勉強が本来楽しいものであることが実感できる。

教科別でいえば、とくに理科や社会科について、このことの意味は大きい。理科は自然現象を扱い、社会科は人間が行なっていることに関するものという違いはあるが、どちらも、様々な疑問を解明しようとしているからだ。

だから、それを知って理解していく過程は、本来はたいへん楽しい。ところが、これまでの社会科や理科の勉強は、教科書に書いてあることを理解したり、暗記したりするという押しつけになってしまっていた。つまり、自分から進んで好奇心を満たしていくというプロセスにはならないことが多かった。

ChatGPTを使えば、理科の勉強も、社会科の勉強もとてつもなく面白いものになる。面白すぎて、他のことをやる時間がないとさえ思うようになるだろう。

この意味で、**ChatGPTは勉強革命なのだ**。このような可能性に気づいて、ChatGPTを最大限に活用できるかどうかが、その人の将来に大きな違いをもたらすことになるだろう。

4 ChatGPTで個別教育が可能に

ChatGPTを家庭教師として独学する

学校教育はいくつかの点で不十分な教育しかしていないと、『超「超」勉強法』で指摘した。そして、これを補完するには、独学で勉強するしかないと述べた。

いま、ChatGPTという強力な手段が現れた。これを用いれば、学校教育で不十分だった点を補完できる。学校などの教育機関や政府は、こうした変化をどのように捉え、対応していくかを、真剣に考える必要がある。

ChatGPTを用いた勉強は、独学をする場合にとりわけ便利だ。家庭教師に教えてもらうのと同じようなことになるからだ。独学をする場合に難しいのはカリキュラムの作成だが、それを示してもらうことができる。自分が現時点でどんなことを知っているかを説明し、目標を指し示す。そして、これらの間隙を埋めるにはどのようなことを勉強すればよいかを教えてもらう。また、標準的な教科書を教えてもらうこともできるだろう。

ただし、どの科目においてもChatGPTが同じように有効であるわけではない。ChatGPTの有効性は、科目によって大きな違いがある。

具体的にはつぎのとおりだ。まず、外国語や国語の勉強にはたいへん有効だ。しかし、数学については、ChatGPTだけでは勉強できない。それは、第6章で説明するように、ChatGPTは数学の問題に誤った答えを出す場合が多いからだ。これは、多くの人々がChatGPTについて漠然と抱いているイメージとは違うものだろう。

理科や社会では、ChatGPTによる誤った答えにどのように対処して勉強を進めていくかが重要なポイントになる。

個別教育の可能性

学校での伝統的な教育方法は一律であり、すべての学生に同じ教材や方法で指導を行なっている。しかし、学生は多様であり、一律の教育は最適とはいえない。

まず、学生の学習スタイルや能力に合わせた教材や問題を作成する必要がある。また、学生の成績、興味、学習方法などの情報に基づいて、個別化された教材や問題を用意する必要がある。要するに、一人一人の学生が最も効果的な方法で学習を進められるようにする必要がある。

しかし、これまでは、そうしたことを実行するのは難しかった。何よりも、人手が足りない。ところが、ChatGPTを利用することによって、これが可能になる。具体的には、つぎのとおりだ。

まず、学生の学習進度や理解度に合わせて、学ぶべき内容や難易度を調整できる。また、学生の弱点に合わせて問題集を生成できる。さらに、学生の興味や趣味に関連する情報を取り入れた教材を提供できるようになる。こうして、個々の学生のニーズやペースに合わせた学習が可能となり、学習の効果が高まる。

個々の学生の興味やニーズに対応した教材や問題を提供することによって、学習のモチベーションを向上させられるだろう。この点で、ChatGPTは強力なツールとしての潜在能力を持っている。これによって、教育の手法が変わるだろう。ChatGPTは、教師というより、チューター、つまり家庭教師のような存在になる。

API接続で、様々なアプリが登場するだろう

現在のところ、ChatGPTの能力は十分ではないが、今後、改善されていくだろう。とくに、ChatGPTとのAPI接続を利用した様々な教育アプリが登場するはずだ。

API接続とは、外部のアプリケーションをAPI（Application Programming

Interface：ソフトウェアやプログラム、ウェブサービスの間をつなぐインターフェース）を使って連携させ、機能の拡張を図ることだ。開発者は、ChatGPTが公開しているAPIを利用することによって、自らが開発するアプリやサービスにChatGPTの機能を組み込むことができる。

これによって、世界中のすべての子供たちが家庭教師のような丁寧な指導を受けることが可能になる。その効果はきわめて大きい。開発途上国の子供たちも、この方式で学べるようになるかもしれない。また、日本でも所得による制限がなくなる。こうした新しい教育方式に適応する社会を形成できるかどうかが、問われることになる。

また、学校教育だけでなく、社会人教育、リスキリング、高齢者の生涯学習、資格試験のための学習などにも大きな影響を与えるだろう。政府は、リスキリングに補助金を出すのではなく、むしろ、こういったアプリを無料で利用できるようにすべきだ。

学校や教師の役割は残る

ChatGPTを使って学習できるといっても、学校が不要になるわけではない。その理由は、つぎのとおりだ。

第1に、ChatGPTの能力は科目によって異なるので、人間の教師の指導がどうしても必要とされる分野がある。これについては、第8章の1で述べる。

第2に、とくに初等・中等教育には、集団生活を経験し、人格を形成していくという重要な役割がある。これはChatGPTを通じては実現できないことだ。したがって現在と同じような学校生活が続くだろう。ただし教師の役割は変わってくる。これまでも教師は、生徒の人格形成に大きな役割を果たしてきた。その役割が、これまでよりも大きなものになる。この問題は、第10章で取り上げる。

学校が果たすべき役割としては、生徒や学生の能力や成績の評価もある。一部の学校は、これを入学試験における選抜という形で行なっている。そうした機能は残るだろう。また在学生の成績評価を、これまでよりもさらに精密化し厳正化していくことが望まれる。

第１章のまとめ

1　「超」勉強法の原則の一つは、全体を捉えることによって部分を理解することだ。そして、そのために、できるだけ早く先に進むことだ。このために、百科事典を「ヘリコプター」として用いた（「逆向き勉強法」）。検索エンジンが登場して、逆向き勉強法をより効率的に進められるようになった。

2　本は著者の問題意識で書かれているので、読者の知りたいことが書かれていない場合も多い。ChatGPTは、知りたいことに答えてくれる。逆向き勉強法のための強力なヘリコプターが現れたのだ。

3　逆向き勉強法では、興味を維持しながら勉強することができる。とくに理科や社会科は、とてつもなく面白くなる。

4

ChatGPTは、教育に革命をもたらす可能性を秘めている。これによって、学校や教師の役割が変わる。とりわけ重要なのは、個別教育が可能となることだ。今後、様々な教育用アプリが生まれるだろう。

第2章

ハルシネーションという大問題を克服する

1
緊急警告：ChatGPTで誤った知識を学ぶ危険

ChatGPTは誤った回答を出すことがある

第1章で述べたように、ChatGPTを用いて学習を進めるのは、非常に楽しく効率のよい方法だ。しかし、この実行にあたって、乗り越えなければならない大きな問題がある。

それは、ChatGPTなど生成ＡＩが出力する結果が、正しいとは限らないことだ。時々間違った回答をする。これは**「ハルシネーション」（幻覚）**と呼ばれる現象であり、深刻な問題だ。

２０２４年１月時点で、GPT-4は２０２３年４月までのデータしか学習していないため、それ以降の事柄については答えられないはずだ。それにもかかわらず、答えを出すことがある。また、２０２３年４月以前の情報についても、間違うことがある（具体的な例は後述する）。

BingやBardなどウェブ検索を行なうツールなら間違いが少なくなると思われがちだが、実際には、これらを用いても誤りが生じる。

誤った家庭教師から誤った知識を得る危険

ハルシネーションに注意せずにChatGPTを用いて勉強すると、誤った知識を身につけてしまう危険がある。そうした人が増えれば、社会は大混乱に陥《おちい》るだろう。そのような事態を、未然に食い止める必要がある。これに対して警告を発し、その対処法を考えることは、喫緊の課題だ。

ChatGPTは、家庭教師としてすでに広く利用されている。アメリカでは人間の家庭教師からChatGPTへの切り替えが急速に進んでいる。

教育関連のオンライン雑誌*Intelligent.com*が2023年10月に紹介したアンケート調査の結果によると、9割近くの学生や親が、人間の家庭教師よりもChatGPTのほうが優れていると答えている。[*注] そして、3割程度の学生がすでにChatGPTに切り替えている。日本での調査でも、かなりの数の学生がChatGPTを使ったことがあると答えている。だから、誤った知識

＊注　New Survey Finds Students Are Replacing Human Tutors With ChatGPT, *Intelligent.com.* 2023/10/24

を学んでしまうリスクは、すでに現実のものとなっている。

文部科学省が2023年7月に発表した生成AIに関するガイドラインでは、レポートの作成などを生成AIに丸投げするのはやめるべきだとしている。また、東京大学をはじめとするいくつかの大学が生成AIの利用についての方針を表明しており、文部科学省のガイドラインと同様、生成AIだけで論文を書くことは適切でないとしている。その反面で、右に述べたようなハルシネーションの問題は、重視されていない。

ChatGPT の無批判な利用が非常に危険だということを、早急に生徒や学生に教える必要がある。

2

大阪万博について、ChatGPTが奇妙な答えをした

「大阪万博は中止になってしもた」

勉強とは関係ないが、大阪万博について、ChatGPTが奇妙な答えをしたことが話題になった。これは、大阪府が高齢者向けの事業として2023年9月から提供しているChatGPTサービス「大ちゃん」で起こった出来事だ。

大阪万博が中止かどうか問うと、「中止になってしもた」と答えたという。「まだ決まってない」「もう終わった」と答えた場合もある。*注 大阪府自慢のサービスということだが、現実に深刻な問題になっている万博について間の抜けた答えを出すので、大きな話題になった。大阪府

＊注　朝日新聞、2023年10月25日朝刊。

は、10月17日、利用開始前の画面に「内容の正確性及び最新性等を保証するものではありません」という注意書きを掲載したという。

API接続しても、誤答を防げない

ところで、「大ちゃん」は、ChatGPTそのものではなく、それに大阪府独自のデータベースを接続したものだ。大阪府としては、大阪弁にして親しみやすくするという目的があったのかもしれない。

一般的にいえば、ChatGPTを独自のデータベースに接続すれば、データベースに入っていることについては正しい答えを出すはずである。私は、ChatGPTにデータベースをAPI接続することによって、ハルシネーションをある程度避けることが可能だと考えていた（API接続については、第1章の4を参照）。実際、そのような目的で、様々なアプリが開発・提供されている。それにもかかわらず間違った答えを出したのだ。その意味で、これは深刻な問題だ。API接続がうまく機能しないのであれば、ハルシネーションの問題に対処するのは、きわめて難しいということになる。

つまり、大阪府の「大ちゃん」サービスが提起した問題は、独自のデータベースにAPI接続してもなお、ハルシネーションを防げないということなのである。

3 ChatGPTの数学力は低い

確立された知識に関しても間違える

ChatGPTが誤った答えを出すことは、広く知られるようになった。ただ、多くの人は、それは最近の出来事や、具体的な事実や統計データについてのことだと考えているだろう。そして、確立された知識については、関係ないと思っているだろう。

実際、本章の1で紹介したアンケート調査においても、「ChatGPTをどの科目で使っているか?」という質問に対して、まず数学、そして化学や生物学などのハードサイエンス分野での利用が挙げられている。

「これらについての知識はすでに確立されたものであり、ChatGPTもそれらを学習しているはずだから、間違った答えを出すことはないだろう」と多くの人が考えていることを示している。しかし、実際にはそうではないのである。

ChatGPTは数学が得意でない

この問題が最もはっきりした形で現れるのが、数学だ。数学は、様々な学問分野の中でも最も厳密に確立された分野であり、ChatGPTはそれに関する大量の文献を学習しているはずだから、数学の問題について間違えることはないだろうと、多くの人が考えているに違いない。

ところが、実際にはそうではないのである。ChatGPTは、他分野よりもむしろ数学において間違えることが多いのだ。人々が信頼しているにもかかわらず、実際には間違った答えが多いのは、大問題だ。

例を挙げれば、きりがない。例えば、「円周率πが3・05より大きな数字であることを証明せよ」という問題がある。これは2003年に東京大学の入学試験で出題され、様々なところで引用される有名な問題だ。

この問題をChatGPTに解かせたところ、奇妙な答えが返ってきた。また、ピタゴラスの定理の証明もできない。ツルカメ算の答えを間違えたり、連立方程式で間違った答えを出したりする。これらの詳細は、第6章の1で述べる。

ChatGPTのサイトには、「人名、地名、事実に関して間違うことがある」という注意書きがある。しかし、間違うのはこれだけではない。論理でも、頻繁に間違う。数学だけでなく、形式論理学においても誤った推論をする。この具体的な例は、第5章の6で示す。

歴史でも間違える

では、社会科や理科（歴史、地理、物理、化学、生物など）ではどうか？ ChatGPTに質問すれば、答えは出てくる。しかし、その中には正しい答えもあれば、間違った答えもある。

前述のとおり、GPT-4は2023年4月までの情報しか学習していないため、それ以降の事柄については、答えが必ずしも信頼できない。しかし、「歴史的な事柄であれば、多くの文献を学習しているはずだから間違いはないだろう」と考える人が多いだろう。だが、それは必ずしも正しくない。

共和政ローマの武将であったポンペイウスの有名な言葉（Navigare necesse est, vivere non est necesse. 航海が必要だ。生きることは必要ない）について質問したところ、間違った答えを出した。間違いを指摘したら修正したが、その答えもまた間違いで、何度も修正する必要があった。これでは、こちらが家庭教師になってしまうわけで、おかしなことだ。

経済学の基本概念でもそうだ。これについては、第7章の2で詳述する。

4

ChatGPTはなぜ間違う？ シンボル・グラウンディング問題

大規模言語モデルの理解は、言葉と言葉の間の関係による

ChatGPTは、なぜ数学の公式の適用や論理を間違えるのだろうか？　その原因として一般的にいわれているのは、「確率的判断で出力を生成しているから」ということだ。この説明は間違いではないが、不十分なものだ。

これを理解するには、**大規模言語モデル**（LLM）がどのように言葉や概念を理解し、どのように出力を作っているかに関する理解が必要である。*注

LLMは、「エンコーダー」と「デコーダー」から成る。エンコーダーは大量の文献を学習し、様々な言葉や概念をベクトルで表し、言葉の意味を、他の言葉との関係で理解する。そして、デコーダーが利用者の質問や要求に応じて答えを作成する。その際、エンコーダーが作ったデータを用いて、ある言葉のつぎに来る言葉の確率を計算している。

数学の問題についていえば、学習データの中には、数学の問題やその解答も多数含まれている。エンコーダーは、これらによって、単語や数字、数式などの関係を学習する。それによって、ある種のルールを導き出しているのだ。そうして得た学習結果を用いて、デコーダーが、ある言葉や数字の後に来る言葉や数字を予測している。

この過程においてLLMが分析しているのは、あくまでも言葉と言葉の間の関係だ。数学の法則や論理法則を（人間と同じように）理解しているわけではない。その意味で、正しく理解していない。そのため、数学や形式論理学などの法則の適用で、誤ることがあるのだと考えられる。

シンボル・グラウンディング問題とは

「シンボル・グラウンディング問題」とは、人間やAIがシンボル（言葉、数字、画像など）を実世界の具体的な対象や概念にどのように結びつけて理解しているかという問題だ。

前項で述べたAIの理解は、人間の理解とは異なるものだ。人間は、生まれたときからの

＊注　これについての詳しい説明は、『生成AI革命』第6章を参照。

様々な実体験や観察を通じて、言葉や概念の意味を理解している。

例えば、「熱い」という言葉は、実際に高温を感じた経験に基づいて理解される。つまり、「熱い」という言葉や概念が、実世界の対象や状況、あるいは体験に「接地」（グラウンディング）している（日本語では、これと逆の状態を、「地に足が着かない」と表現している）。

あるいは、「月」という言葉の意味は、「あれがお月様だよ」と教えられたときに月を見上げた経験によって理解している。抽象的な概念もそうだ。例えば「無限」という概念の意味は、長い海岸線を歩き続けたというような体験と関連づけて理解している。

ところが、AIは身体を持たないため、このような理解をすることができない。AIの理解は、すでに見たように、言葉と言葉の関係を理解するというものだ。

以上で述べたことは、数学や自然科学の法則などの理解という問題の本質に関連している。これは、AI（人工知能）に関する基本問題として以前から議論されてきたものだ。

シンボル・グラウンディング問題が解決されないと、ハルシネーションを根絶できない

AIがハルシネーションを起こす原因としては、様々なものがある。例えば、学習データが不十分であったり、間違っていたりすることが原因になりうる。だが、それだけではない。

ハルシネーションの大きな原因は、右に述べたように、AIによる理解の仕方に基づくもの

が多いと思われる。つまり、ＡＩがシンボル・グラウンディングできないことが、ハルシネーションの大きな原因の一つと考えられる。

シンボル・グラウンディング問題の解決は、ＡＩが実世界の対象や概念を正確に理解し、それに基づいて適切な情報を生成するために必要だ。この問題が解決されなければ、ＡＩはシンボルの意味を正確に「接地」できず、その結果、不正確な情報やハルシネーションを生じるリスクが高まる。

このため、シンボル・グラウンディング問題について、様々な研究がなされている。例えば、「MathQA」という研究がある。しかし、いまのところ満足のいく結果は得られていない。ＡＩがシンボルの意味を完全に理解し、それを実世界の文脈で適切に使用することは、現在の技術では難しい課題だ。

したがって、われわれはChatGPTなどの生成ＡＩを用いるにあたって、ＡＩがシンボル・グラウンディングできないことを前提としなければならない。つまり、ハルシネーションを完全に避けることはできないという前提で用いる必要がある。

なんとか対処できないか？

ところで、第１章の３で述べたように、ChatGPTを用いて勉強するのは楽しいことだ。知りたいことや、それまで疑問に思っていたことなどをピンポイントで尋ねることができ、それに対して簡潔な答えが返ってくる。だから、興味を失わずに勉強を進めることができる。

このような利点は、ぜひとも活かしたい。様々な勉強にChatGPTを使えれば、たいへん効果的だ。

そのような面白さがあるから、様々な科目で、すでにChatGPTを用いて勉強をしている学生や生徒が多数いる。しかし彼らは、そうとは知らずに、誤った知識を学んでいる危険がある。

この問題をなんとか解決できないだろうか？　これが、本章の5以降で論じる問題である。

シンボル・グラウンディング理論を勉強法に活用する

以上では、ＡＩがシンボル・グラウンディングできないことを問題にした。ところで、シンボル・グラウンディング理論は、これとは違う意味でも、勉強法と関連している。

それは、人間の理解は実体験に基づくものであり、身体的な感覚を通じて理解しているものだという事実を、勉強法に活用することだ。

第1は、英語の勉強での「丸暗記法」だ。これについて、第4章の2、3、4で述べる。

第2は、文章を書く際に、例や比喩を用いて、分かりやすく、説得力があるものにすることだ。抽象的な概念を比喩や具体的な例を用いて説明することは、シンボル・グラウンディングの一形態と見なすことができる。これによって、複雑なアイディアや理論を理解しやすい形に変換することが可能になる。これについては、第5章の2で述べる。

第3は、シンボル・グラウンディングに囚《とら》われることの問題だ。これは、とくに自然法則の理解に関して問題となる。これについては、第7章の4、5で述べる。

5 ハルシネーションを避ける安全な使い方

誤りの可能性を常に意識する

ハルシネーションの存在は、ChatGPTを勉強に使ってはならないことを意味しない。重要なのは、ChatGPTはまったく新しい仕組みであるために、それをこれまでの教科書や参考書、あるいは教師の授業などと同じように考えて使ってはならないということだ。

ChatGPTは時々間違った答えを出すが、他方において、信じられないほど博識だ。間違いを避けつつこれを利用できれば、ChatGPTは非常に優れた家庭教師になる。必要とされるのは、間違いの可能性を十分に理解し、常にそれに気をつけながら使用することだ。

この問題は、それほど簡単なものではない。正しい方向を見出すために、様々な探究と試行錯誤が必要とされるだろう。ただ、どのような使い方が有効かについて、おおよその方向づけを示すことはできる。それについて、以下に述べよう。

使い途を限定化（1）曖昧なことや忘れたことの確認に用いる

ハルシネーションがあることを前提にした安全な使い方は、ある程度は知っていることについて曖昧《あいまい》な部分を確認したり、大まかに知っていることについて詳細を聞いたりすることだ。あるいは、正確な言葉を忘れてしまった場合に、ChatGPTに確かめることだ。

ある程度は知っていることなら、ChatGPTが間違った答えをしているかどうかは、多くの場合に分かる。忘れてしまった言葉を思い出すのであれば、正しい答えかどうかは確実に分かるだろう。

例えば、歴史上の事実などで大まかには知っているものの、地名や人名の一部がはっきりしない場合がある。この場合、ChatGPTに周囲の状況を説明すれば、知りたいことを詳しく説明してくれるだろう。

こうした必要性は、文章を書いているときにしばしば生じる。そして、検索エンジンでは、すぐに答えが分からないことが多い。この場合に、ChatGPTは有用な手助けになってくれる。

使い途を限定化（2）間違っても問題が生じない用途に使う

ハルシネーションに対処するもう一つの方法は、事実の誤りに影響されない用途に使うことだ。例えば、文章を書いていて適切な表現が見つからないとき、あるいは、例を示したいが適切なものが思い浮かばないときなどに、ChatGPTに尋ねる（この具体例は、第5章の2で詳しく述べる）。

また、「アイディアを出してもらう」という使い方もある。この場合、事実やデータの誤りという問題は、あまり発生しないだろう。そして、答えが適切かどうかは、簡単に判断できる。適切でないなら、使わなければよい。

例えば、「敷地が狭い都心の学校で、野球部の練習をするためにどうしたらよいですか？」とChatGPTに尋ね、有益な答えを得たという報道があった。この場合、学校の敷地面積などのデータはこちらから伝えるので、事実に関する誤りは生じないだろう。

ただし、このような使い方においても、問題がまったくないわけではない。ChatGPTは、事実やデータについて間違うだけでなく、計算や論理を間違えることもあるからだ。だから、狭い学校での練習場所の確保という問題で、間違った計算に基づく答えを出す可能性もある。

また、間違う確率が低いから大丈夫というわけでもない。例えば、健康増進のために何をしたらよいかと尋ねて、その方法が間違っていたら、たいへんなことになる。

6 ChatGPTの博識をなんとか使いたい（1）検索で確認

ChatGPTだけに依存しては危険：書籍や検索エンジンでチェックする

ChatGPTは実に博識だ。国会図書館の蔵書をすべて読んだほどの学習をしている。だから、様々なことを知っている。その知識を活用できるかどうかは、たいへん大きな意味を持っている。しかも、ChatGPTの出力がいつも間違っているわけではない。ほとんどの出力は正しい。

そのため、本章の5で述べたような「安全な使い方」をするだけでなく、もっと積極的に、「どうすればChatGPTが持つ正しい情報を引き出せるか」を考える必要がある。それをうまくできる人は、ChatGPTの潜在力を活用できる。そして、それができない人との間に、大きな差がつく。

そのための第1の方法は、得た情報を書籍やウェブ記事などで確認することだ。面倒と感じるかもしれないが、誤った情報を利用して危機に陥ることを考えれば、これは、どうしても必要な作業だ。

何かおかしいと感じたら、必ず確認すべきだ。そうでない場合でも確認が必要だ。情報を集めたり学習したりする作業は、ChatGPTだけで終わらせることはできない。

ウィキペディアで確認する

情報の正しさを疑ったとき、「この事柄について書かれているウィキペディアのページを示してください」と要求する方法もある。

すると、その記事へのリンクを示してくれるので、すぐに確認することができる。

ウィキペディアを使うのには意味がある。ここにはすでに大量の情報が格納されているからだ。その正確さは万全とはいえないが、ウェブ上の一般的な記事に比べれば、信頼性は高いと考えてよいだろう。ここにある記事は、本稿の執筆時点で、英語で約675万件、日本語で約139万件である。[*注] 様々な分野における基礎的な知識をほぼカバーしていると考えてもよい。

学術論文は別として、一般的な文章であれば、ウィキペディア程度の正確さがあれば十分だろう。

「それなら最初からウィキペディアを見ればよいのではないか」という反論があるかもしれない。しかし、ウィキペディアの記事が長く、どの部分を読むべきかがすぐには分からない場合も多い。ChatGPTを使って問題点を特定すれば、その部分だけを読めばよい。これによって、記事全体を見るよりも、効率的に目的の情報を見つけることができる。

検索語が分かることの重要な意味

ChatGPTに健康上の問題を聞けば、病名や処置薬などを教えてくれるだろう。それらを検索エンジンで調べる。つまり、ChatGPTの答えに間違いがないかどうかを確かめるために、ChatGPTが教えてくれた言葉を検索語として検索してみるのである。

医学用語には日常用語とはかけ離れたものが多いから、いきなり検索エンジンで病名や薬の名前などを探すのは難しい。症状を入力してそうしたものが出てくる場合もあるが、それよりはChatGPTに説明するほうが早い。

＊注　ウィキペディアは、各言語版の記事数についての情報を提供している。ウィキペディアの「Statistics」ページや「List of Wikipedias」ページでは、各言語版の記事数や総項目数、編集回数など、多くの統計情報を提供している。
ウィキペディアの各言語版の統計情報は、メタウィキ（ウィキペディアのプロジェクト全体を支えるための協力型のwiki）に記載されている。日本語版ウィキペディアの統計情報を見るためのURLは以下のとおりだ。https://meta.wikimedia.org/wiki/List_of_Wikipedias

同じ方法は、様々な対象に使える。例えば、人名や地名を思い出せない場合に、この方法で簡単に分かる。

「どうせ検索をするなら、最初から検索すればよいので、ChatGPTの出番はない」という意見があるかもしれない。しかし、実はそうではないのだ。検索語が分かることは、重要な意味を持つ。これについては、第3章の2で述べる。

7

ChatGPTの博識をなんとか使いたい（2）聞き方を工夫

ハルシネーションに対処しつつChatGPTの博識を使う第2の方法は、聞き方を工夫することだ。

まず、ハルシネーションは、**プロンプト（指示文）**の書き方によってある程度対処できるという意見がある。例えば、「**フューショット・プロンプティング**」で改善するといわれる。

ChatGPTに対して事前に何の情報も与えずに質問をすることを「**ゼロショット・プロンプティング**」というのだが、フューショット・プロンプティングでは、事前にChatGPTにいくつかの例を示す。ChatGPTはそれらを参照して、新しい入力に対する適切な応答や行動を生成する。

フューショット・プロンプティングで改善する

例えば、ある文章がポジティブな感情を表しているか、ネガティブな感情を表しているかを判断するタスクの場合、フューショット・プロンプティングでは、まず、ポジティブな感情の文例とネガティブな感情の文例を示す。その後に新しい文章を提示して、どちらのカテゴリーに属するかを判断させる。

この手法は、ハルシネーションを回避するのに有用だといわれる。ただし、完全な対処法とはいいがたい。

同じことを違う形で聞いてみる

聞き方を工夫してハルシネーションを回避するもう一つの方法は、同じことを別の観点から質問してみることだ。ハルシネーションがどのような原因で起こるかははっきり分かっていないのだが、その多くは、普通いわれるように、ChatGPTが事前学習に用いた文献の中に誤った情報があるためではないと考えられる。

むしろ、本章の4で述べたように、大規模言語モデルが確率的な基準に従って出力をしていることに関連していると思われる。つまり、確率判断によって出力するので、場合によっては間違ったことを出力してしまうのだろう。

ハルシネーションが確率的原因によって起こる現象であれば、問いを少し違う形で行なえば、異なる答えが出てくるはずだ。だから、別の形で聞いても同じ答えが出てくるのであれば、誤りである可能性は低いと判断してもよいだろう。

自分の理解を文章にして、正しいかどうかをチェックしてもらう

前項の方法をもっと進めて、自分の考えや理解を文章にし、それをChatGPTに見せて、「この理解は正しいか？」と質問することもできる。

それに対してChatGPTは、明確な判断を聞かせてくれる。「正しい」とか、「誤解を招く表現だ」とか、「正しくない」と判断してくれる。それに合わせて最初の文章を修正し、「これではどうか？」と聞いてみる。このようにして、「正しい」という答えが出るまで、問答を繰り返していくのだ。

ある問題について、様々な方向からの理解を示し、それらが整合的なものになっていれば、答えは信頼できると考えてよいだろう。この場合に、ChatGPTが正しくないことを見逃す危険は、（ゼロではないだろうが）ほとんどないのではないかと思う。

世の中には、適切な参考文献がない場合がある。例えば、いま問題にしているハルシネーションだ。それは、ChatGPTがどのようにして答えを作っているかというメカニズムに関連する。ところが、ChatGPTがどのようなメカニズムで文章を理解し、どのようにして答えを作っているのかについて、きちんと説明した文献は見出せない（少なくとも、私は見出すこと

ができなかった)。こうした場合に、右に述べたように、自分の理解を書き、それを確かめてもらうという方法は、非常に有効だ。

LLMについて学ぶには、ChatGPTに聞くしか方法がない

前項で述べた方法は、知りたいことについて、文献などで適切な答えが得られない場合に有用だ。知りたいことをピンポイントで答えてくれるからだ。この意味で、教科書による勉強より優れた方法だ。私はこの方法を**大規模言語モデル**(LLM)の勉強に用いた。これは、きわめて難しい問題だ。

元論文は公表されていて、簡単に入手できるが、非常に難しい。そこで、右のような方法でChatGPTに尋ねてみることにした。その結果、かなり的確な理解ができたと思う。

LLMはきわめて新しいトピックなので、適切な解説書がない。解説書と謳《うた》っているものを読んでみると、余計なことばかり書いてあって、肝心なこと、つまりLLMがどのようにして人間の言葉を理解し、指示や質問に対して答えを生成していくのかというところが分からない。

この問題について、一般的に説明されているのは、LLMは確率的な判断に基づいて答えを形成していくということだ。つまり、それまでの文脈との関連によって、つぎに来る言葉の確率を調べ、最も高い確率の言葉を選ぶというのである。この説明は、なんとも不思議だ。そん

なことだけで意味のある文章が書けるとは、到底思えない。
その前段階として、まず質問や指示を理解するというプロセスが必要なはずだ。事前学習で大量の文章を読み、それによって様々な言葉の意味や事実や関連を理解しているはずだ。実際、ＬＬＭにおいては、この仕事は「エンコーダー」という部分によって行なわれており、これは全体の中できわめて重要な役割を占めている。
では、それはいったいどのようなメカニズムで行なわれているのか？　一般の説明では、このことについて何も触れていない。私は、ChatGPTと長い問答を繰り返して、このメカニズムの概要をなんとか把握することができた。[*注]
ＬＬＭについて学ぶには、こうした方法しかないともいえる。少なくとも、現時点でＬＬＭを勉強しようとするのであれば、このような勉強法が最も優れた方法だということができるだろう。この勉強法は、ＬＬＭの理解に限らず、他の様々な問題に対しても適用することができる。

＊注　『生成ＡＩ革命』第６章の５。

8

ChatGPTの博識をなんとか使いたい（3）ブラウジングとプラグイン

ハルシネーションを回避するための第3の方法は、ChatGPTにウェブブラウジングしてもらうことだ。

当初、ChatGPTにはウェブブラウジングの機能がなかったのだが、2023年5月に、有料のGPT-4で、ウェブブラウジングの機能が追加された。しかし、有料サイトが閲覧できてしまうなどの問題が発生したため、7月に一時利用が中止された。その後、9月に復活した。

それからは不安定な状況もあったが、継続している。これを適切に用いれば、ハルシネーションをかなりの程度避けることが可能かもしれない。

複数のソースからの情報でチェックする

「ハルシネーションを避けるために、提供される情報にウェブでの裏づけを求めることは可能ですか?」という私の質問に対して、〈ハルシネーションを避けるために、複数の信頼できるソースからの情報を参照することも重要です〉とChatGPTは答えている。

なお、現在のChatGPTのウェブブラウジング機能では、有料記事やサブスクリプションが必要なコンテンツにアクセスすることはできない。また、統計などのオンラインデータベースに直接アクセスしてデータを抽出することもできない。

ただし、〈有料ニュースサイトのコンテンツについては、直接アクセスすることはできませんが、公開されている情報をもとにした質問には答えることが可能です〉〈ＩＭＦのＷＥＯや他の公開されている経済データに関する質問があれば、２０２３年４月までの私のトレーニングデータに基づいて答えることが可能です。また、ユーザーがデータベースの特定の部分をアップロードすれば、それに基づいて分析や解釈を行なうこともできます〉とChatGPTは答えている。

プラグインを用いると、情報チェックが容易に

前項で述べたプロセスをさらに進めることができる。それはプラグインサービスを用いることだ。これは、２０２３年５月から利用可能になったサービスだ。

プラグインにはいくつかある（２０２３年６月末時点で、日本語で利用できるものが５００点以上）。

私が使っているのは、つぎの3つだ。Wolframは、学術的な知識を提供してくれるプラグイン。WebPilotとLink Readerは、ウェブを検索してくれる。これらのプラグインを用いることによって、取得する情報がより正確になる。*注

もし情報の真偽を確認したいと思ったら、「このことが書いてあるウェブサイトを示してください」と要求すれば、WebPilotがいくつかのサイトを示してくれる。これは最初から検索エンジンを用いる方法と似ているが、同じではない。

まず示してくれるのは、4つ程度の重要なサイトで、そこから情報を見つけることができる。また、要求すれば、要約を提供してくれる。通常、検索エンジンを使う場合には、いったんChatGPTの画面から離れる必要があるが、プラグインを用いれば、画面から離れず、シームレスに作業を続けられる。こうしたサービスは、今後ますます効率化し、高度化するだろう。

なお、根拠となるウェブページが示されるだけで十分な場合も多い。もし信頼できるウェブページを見つけることができない場合（つまり、最初の答えが「でっち上げ」だった場合）には、ChatGPTは〈すみません、間違えました〉と、前言を撤回する。

ChatGPTとの対処法問答

ハルシネーションは、モデル側の理由で発生することが多いが、ユーザーの質問や指示が曖

味な場合にも発生する。ChatGPTに対処法を尋ねたところ、つぎのような答えだった。

〈1．具体的で明確な質問をすること。
2．関連する背景情報や文脈を提供すること。（「文脈を提供する」とは、質問や情報の要求に先立ち、その背景や関連する情報を明示的に伝えることだ）
3．不正確な回答や意味のない回答を受け取った場合、質問の言い回しを変えて再度試すこと。〉

「プラグインを用いれば、ハルシネーションを避けることができますか？」と聞いたところ、つぎのような答えだった。

〈プラグインや追加のツールを使用することで、ChatGPTの回答の正確性や関連性を向上さ

＊注　Wolfram|Alphaは、ウルフラム・リサーチが開発した質問応答システム。2009年3月に科学者スティーブン・ウルフラムが発表し、同年5月15日に公開された。2018年6月18日には日本語版も公開された。WebPilotは、ChatGPTがウェブページを訪れて情報を取得するためのプラグイン。

せることが期待されますが、ハルシネーションを完全に避けることは保証されません。以下は、プラグインやツールを使用してハルシネーションを減少させるための方法です。

情報の確認：特定の情報やデータを必要とする場合、WebPilotやLink Readerなどのプラグインを使用して、情報を確認することができます。これにより、最新の情報や正確なデータを取得することができます。

数学的・科学的計算：Wolframプラグインを使用することで、数学的な計算や科学的な情報を正確に取得することができます。

文書の解析：Link Readerを使用して、特定の文書やウェブページの内容を解析し、関連する情報を取得することができます〉

第２章のまとめ

1
ChatGPTなどの生成AIが出力する情報は、常に正しいとは限らない。時々間違った答えをする。これは「ハルシネーション」といわれる現象であり、深刻な問題だ。ChatGPTは、家庭教師としてすでに広く利用されているので、学生が誤った知識を身につけてしまう危険がある。これに対して警告を発することは、喫緊の課題だ。

2
大阪府が提供しているChatGPTサービス「大ちゃん」が奇妙な応答をしたことが話題になった。これは、独自データベースへのAPI接続でChatGPTを利用しても、ハルシネーションを防げないことを意味する。

3
ChatGPTは、数学の公式の適用や形式論理学の応用で、しばしば誤る。また、社会や理科でも間違った答えを出す場合がある。

4　ハルシネーションが生じる大きな原因は、生成AIが数学の法則や論理法則を理解する際に、言葉と言葉の間の関係として捉えることだ。これは、人間の理解の仕方とは異なる。これは、「シンボル・グラウンディング問題」と呼ばれる。

5　ハルシネーションに対処する一つの方法は、使い途《みち》を限定して、答えが間違っていても大きな問題にならないような使い方をすることだ。

6　ハルシネーションに対処しつつChatGPTの博識を使う第1の方法は、ChatGPTの答えを書籍や検索エンジンでチェックすることだ。

7　ハルシネーションに対処しつつChatGPTの博識を使う第2の方法は、同じことを違う形で聞いてみたり、自分の言葉で文章を作って、ChatGPTに確認させたりすることだ。

8　ハルシネーションに対処しつつChatGPTの博識を使う第3の方法は、ウェブブラウジングやプラグインを用いることだ。

第3章

ChatGPTは知りたいことに辿り着くためのガイド

1 検索エンジンだけでは不十分

検索語が分からないと、検索エンジンで調べられない

第2章で、ChatGPTの答えにハルシネーション（幻覚）があるかどうかを検証するため、検索エンジンでチェックすべきだと述べた。それに対して、「それなら、最初から検索エンジンで調べればよいではないか。ChatGPTの出番はない」、あるいは、「いちいち検索エンジンで確かめるのは面倒だし、手間がかかる」という意見があるかもしれない。

しかし、そうではないのである。まず、検索語が分かれば、検索エンジンで調べるのは、たいした手間ではない。

それだけではない。検索エンジンには本質的な限界と問題があるのだ。第1に、検索語が分からないと検索できない。第2に、ヒットした記事に知りたい情報があるかどうか、分からない。ChatGPTは、こうした状況を大きく変えるのである。

検索語が分からない場合の「八艘飛び検索法」

調べたいものの名前が分かれば、検索エンジンで調べることができる。しかし、名前が分からない場合（あるいは、忘れた場合）、それを検索エンジンで調べるのは容易なことではない。人名、会社名、地名などの固有名詞について、「名前を忘れた」という問題がしばしば生じる。また、道具や工具、部品などの名前、花の名前などが分からないことがある。「工具や部品をアマゾンで買いたいのだが、名前が分からないので買えない」こともある。

そこで、ウェブの検索技術が重要になる。「名前が分からない対象を検索するには、どうしたらよいか?」ということだ。

私は、この問題を解決するために、様々な方法を考えた。例えば、**「八艘《はっそう》飛び検索法」**だ。これは、何か一つのきっかけを摑《つか》み、そこを出発点として共通集合をつぎつぎに渡り歩くことによって、目的の名前が入っている集合を見出そうというものだ。*注 この方法はかなり有効だ。

しかし、必ず検索語を見出せるとは限らない。

＊注　野口悠紀雄『超「超」整理法』（講談社、2008年）第4章の3。

検索しても、求める情報を得られるかどうか分からない

仮に検索語が分かっても、それで問題解決というわけではない。なぜなら、その検索語を入力しても、知りたいことが含まれている適切な記事が表示されるとは限らないからだ。

検索語の候補としていろいろなものが考えられるが、それらのうちどれが適切な検索語かは、必ずしも明確ではない。本当に適切な検索語は別のものということもある。適切な検索語の選択は、決して容易ではないのだ。一般的な言葉や抽象的な言葉を検索語にしても、なかなかうまくいかない。

また、ヒットするサイトの数はかなり多く、それらをすべてチェックするのはたいへんだ。多くの人は上位に表示される数個のサイトを見るだけだが、それらの中に自分の知りたい情報があるとは限らない。

第1章の2で述べたように、書籍やウェブ記事に書かれている内容は、筆者の問題意識に基づき、読者に向けてプッシュされて（押し出されて）くる。それが読者の要求に合ったものとは限らない。書かれている内容が自分の知りたいことである保証はないのだ。

2 ChatGPTは読書や検索を助けるガイド

ChatGPTなら、検索語が分からなくても調べられる

前節で述べた問題を、ChatGPTは解決してくれる。

まず、ChatGPTを使えば、検索語が分からなくても調べることができる。

例えば、「ある企業について調べたいのだが、会社名を忘れてしまった」という場合、業種や所在地、歴史、規模などを説明すれば、たぶん、会社名が分かるだろう。

アマゾンで工具や部品などを買う場合、用途などを説明すれば、その名前が分かるだろう。「……のようなもの」と言ってもよいかもしれない。

この方法は、専門的な用語についても使うことができる。例えば、コンピュータ関係の言葉は専門用語が多いのだが、正確な名称を忘れてしまうことがある。そんな場合に、ChatGPTに説明すれば、たぶん、教えてくれる。

こうした場合に限らず、「概要は説明できるのだが、名前が分からない」ということは、頻繁に生じる。ChatGPTに説明すれば、名前が分かることが多い。

ChatGPTでおおよその知識を得れば、何が適切な検索語なのかを明確にすることができる。それを用いて検索することによって、知りたいことが書いてある記事を効率的に見つけ出すことができるだろう。

検索語を教えてくれるという意味で、ChatGPTは非常に大きな役割を果たすのである。いったん検索語が分かれば、詳細情報も写真も地図も得られる。ChatGPTを使えば、勉強する人が自分の知りたいことをプルする（引き出す）のが容易になるのだ。

何がどこに書いてあるか、分からない

ChatGPTの役割は、もう一つある。それは、書籍や資料のどこを読んだらよいかが明らかになることだ。

第1章の2で述べたように、書籍やウェブの記事は、書き手が考える体系に従って書かれている。それは、読み手が知りたいこととは、必ずしも一致しない。

書籍や資料の中に知りたいことが書かれていたとしても、長い文章の中のどこにその情報が書いてあるのかを探すのは、容易なことではない。読んでいるうちに興味を失ってしまう可能

性もある。

とくに書籍については、どの書籍の、どこに知りたいことが書いてあるかを探し出すのは、かなり難しい。

例えば、E・ギボンの『ローマ帝国衰亡史』（ちくま学芸文庫、全10巻）を見てほしい。この長大な書籍のどこに何が書いてあるのかを探し出すのは、容易なことではない。ましてや、自分の知りたいことがどこに書いてあるのかを探し出す、あるいは、そもそも書いてあるのかどうかを知るのは、至難《しなん》の業《わざ》だ。ローマ軍はなぜ強かったのか？　それは軍事技術上の理由だけによるのではなく、退役後の兵士の処遇などの社会制度と関連していたのではないか？　というような疑問に対する答えだ。

索引を用いて調べることが考えられるが、日本の書籍は索引のないものが多いので、これができない場合が多い。

教科書は、基本的には教師のガイドに従って使うことが前提にされているものだ。それに対して、ChatGPTを使うと、自分が知りたいことの答えを直接に得ることができるので、あとから書籍で確認する場合、どの書籍のどこを読めばよいかが分かる。ウェブ記事で確認する場合もそうだ。全文を読むよりもずっと効率的に目的の情報を確認できる。

ChatGPTは書籍を読んだり、検索したりするのを助けるガイド

以上を考えると、ChatGPTが書籍や検索エンジンに取って代わるという事態は考えられない。ChatGPTは、書籍や検索エンジンをうまく効率的に使うための手段なのだ。

例えば、ChatGPTは、書籍やウェブ記事の要約をしてくれる。それを読めば、知りたいことが特定の書籍やウェブ記事に書いてあるかどうかの判断がつく。そして、前項で述べたように、書籍やウェブ記事のどこを読めばよいかが分かる。これこそが、ChatGPTの役割なのだ。

つまり、ChatGPTは、書籍を読んだり検索したりするのを助ける道具であり、ガイドであると考えるべきだ。知識を得るための最終手段と考えてはいけない。

多くの人は、ChatGPTが最終的な知識を与えてくれると期待している。しかし、最終的な知識はChatGPTによって提供されるのではなく、書籍や文献の中にある。ChatGPTは、そこに辿り着くための手段にすぎない。これまでなかった強力な方法なのだが、最終的な答えを与えてくれるものではないことを、認識する必要がある。

3

質問力が結果を決める

ChatGPTでは、質問しないと勉強が進まない

ChatGPTでは質問が必要だ。質問しなければ何も答えてくれない。

これまでの勉強は、そうではなかった。本を読むにしても、講義を聞くにしても、知識は押し出されてくる。つまり、「プッシュ」されてくる。勉強するには、それらの知識を受動的に受け入れればよい。講義を受ける場合、座っていれば自動的に知識が得られる。それをノートに取るだけでよい。

これに対してChatGPTの場合には、勉強したい人がChatGPTに問いかけることによって知識を引き出す。人間の家庭教師とは違って、ChatGPTは質問をしない限り答えてくれない。ただＰＣの前に座れば教えてくれる、というわけにはいかないのだ。

多くの知識を持つ人ほど、有用な質問ができる

ChatGPTが何でも答えてくれるのであれば、人間は勉強しなくてもよいと考える人がいるかもしれない。しかしそうではない。

なぜなら、右に述べたように、ChatGPTから答えを引き出すには質問をする必要があり、どのような質問をできるかは、その人がどの程度の知識を持っているかによるからだ。より多くの知識を持っている人が、ChatGPTからより多くの答えを引き出すことができ、それによって、能力をさらに高めていくことができる。

また、強い好奇心が勉強を進めることは事実だが、興味の赴《おもむ》くまま闇雲に進んでよいわけではない。方向づけを誤ってはならない。正しい方向づけを知るためにも、知識の蓄積が必要だ。こうしたことがあるので、ChatGPTとの対話からどれだけの成果を得られるかは、人によって異なる。

もちろん、これは、従来の勉強についても当てはまることだった。ただ、ChatGPTの場合には、その差が非常に大きくなるのだ。したがって、良い質問をするために、勉強することの必要性はこれまでより増したということができる。

第3章のまとめ

1 検索エンジンには、本質的な限界がある。第1に、検索語が分からないと検索できない。第2に、ヒットした記事に知りたい情報があるかどうか、分からない。

2 ChatGPTでは、検索語が分からなくても調べることができる。また、ChatGPTによって、適切な検索語を見出せることもある。さらに、ChatGPTの情報で、文献のどこを読めばよいかが分かる。ChatGPTは、書籍を読んだり検索したりするのを助けるガイドだ。それによって最終的な知識を得ることはできない。最終的な知識は書籍や文献の中にある。

3 ChatGPTでは、質問しないと勉強が進まない。質問力が最も重要だ。勉強の成果を決めるのは、質問する力だ。

第Ⅱ部

ChatGPTで勉強力が大躍進

第4章

外国語の勉強が根底から変わる

1

外国語の教師はもう必要ない？

競争相手は、自分たちよりはるかに優秀

ChatGPTの出現は、外国語の教師にとって重大な脅威だ。ChatGPTは、どんな人間の教師よりもはるかに優れた語学の教師だからだ。

まず、どんな外国語に関しても、人間の教師が知っているより多くの言葉や表現を、ChatGPTは知っている。そして、個々の学生の個別の質問に答えてくれる。しかも、いつでもどこでも使え、納得がいくまで尋ねることができる。それに、教えてもらうためのコストは、基本的にはゼロだ。

これでは、人間の外国語教師にはとても勝ち目はない。だから、いますぐ外国語の教育がすべてChatGPTに置き換えられてしまっても、少しも不思議はない。

このような大きな変化は、外国語教育の歴史上、初めてのことだろう。ChatGPTの勉強へ

の利用を考える場合、外国語の勉強への利用が最大の焦点だ。

そもそも、外国語の勉強に対するChatGPTの影響は、勉強の中で最大であるだけでなく、企業での利用などを含めたあらゆる分野の中で、最も大きなものの一つだ。ChatGPTが職業別にどのような影響を与えるかの研究調査がいくつも行なわれているが、それらの多くが、外国語教師が最も大きな影響を受けるとしている。

なお、外国語の中でも英語の重要性は圧倒的に高い。そこで、本章では、英語を念頭に議論を進める。ただし、同じことが他の言語についてもいえる。本書では、「外国語」と「英語」という言葉を厳密に区別せずに用いている。

大規模言語モデルは、本質的にマルチリンガル

ChatGPTは言語を使うための仕組みだ。したがって、言語を扱う仕事にきわめて大きな影響を与えるのは当然だ。

ChatGPTの基礎になっているのは、**「大規模言語モデル（LLM）」**と呼ばれるAIのモデルだ。これは言語を操ることを目的とするAIである。そして、AIにとっては、日本語も英語も区別はない。本質的にバイリンガル（正確にはマルチリンガル）だ。外国語への翻訳や外国語からの翻訳に関して、大規模言語モデルは、もともときわめて強力なのである。だから、

外国語の教育においてChatGPTが人間の教師よりはるかに能力が高くなるのは、当然のことだ。

多くの場合において、翻訳者や外国文学の専門家など、外国語の高度な専門家の能力と比べても遜色がない。こうした強力な競争相手の出現に、外国語教師はどのように対応することができるだろうか?

いますぐにでも外国語教育をChatGPTに切り替えられる

他の分野でChatGPTを使おうとすると、何らかの問題が発生する。とくに大きいのが、第2章で述べたハルシネーション現象によって、誤った答えが出力される場合があることだ。だから、ChatGPTの出力をそのまま使えないことが多い。外国語に関する利用においても、ハルシネーションがまったくないとはいえない。しかし、翻訳や要約などに関しては、ほとんどない。少なくとも、私が使った限りでは、これまでなかった。

第2の問題は、役に立つ出力が得られるかどうかだ。「ChatGPTをアイディア出しに使う」ということがよくいわれる。第2章の5で述べたように、これはハルシネーションにあまり影響されないという意味で、安全な使い方だ。しかし、本当に役に立つアイディアが得られるかどうかは疑問だ。それに対して、外国語の場合の出力は、明らかに役に立つ。

第3の問題は、通常は、ChatGPTの導入にあたって何らかの準備が必要になることだ。例えば、企業がマーケティングにChatGPTを使う場合には、企業のデータシステムをそれに合わせて構築し直す必要がある。

ところが、外国語教育にChatGPTを使うには、ほとんど準備が要らない。必要な機器があれば、すぐにでも外国語教育をChatGPTに切り替えることができる。

外国語の専門家には深刻な影響

外国語の勉強に関する条件は、ChatGPTの登場によってまったく変わった。このことは、外国語の専門家に対して深刻な影響を与えるだろう。

第1に、翻訳家の仕事が減少する。文学作品などの翻訳は残るだろうが、事務的な文書の翻訳の必要性は激減するだろう。

第2に、外国語を専門的に勉強する学生の数が減ると考えられるので、とくに私立大学の経営に大きな影響を与えるだろう。そして外国語の教師に対する需要が減る。

外国語の教師にとっては、二重の意味で深刻な事態だ。一方では、外国語の勉強をChatGPTが手助けする。他方では、外国語を勉強する必要性が減る。この2つの理由で、外国語の教師に対する需要は減少することになるだろう。本章の6で述べるように、外国語の勉強は依然として必要だが、人間の教師は不要になるのだ。

シンボル・グラウンディングで外国語の勉強を進めていく

これまでの自動翻訳は、与えられた文章を訳すだけだったので、勉強に用いるのは難しかった。ところが、ChatGPTは会話をすることができるので、それを通じて外国語を勉強し、能力を高めていくことができる。

対話を続けることによって勉強するのは、言葉を学ぶ最も自然なプロセスだ。人間は誰もが、生まれた直後から、周りの人たちとの言語コミュニケーションを通じて自国語を勉強していく。これは、第2章の4で述べた「**シンボル・グラウンディング**」だ。それに似たプロセスを実現できる。言葉を学ぶ仕組みにおいて、これまでなかった新しいプロセスが誕生したのだ。まさに革命的な変化だ。

具体的な対話のやり方としては、様々なものがある。最も効果的な方法は、3つだ。

第1は、丸暗記法に使う文章を、ChatGPTに教えてもらうことだ。これについて、本章の2で説明する。

第2の方法は、ChatGPTに英文の翻訳や要約をしてもらい、それによって意味を捉えてから、英文を丸暗記することだ。その具体的な方法を、本章の3で説明する。

第3は、自分の専門分野について英語で文章を書き、それをChatGPTに直してもらい、より適切な表現を教えてもらうことだ。そして、その文章を丸暗記する。その具体的な方法を、本章の4で説明する。

2

ChatGPT＋丸暗記は、魔法の玉手箱：丸暗記法の（1）

英語の勉強には、「分解法」でなく「丸暗記法」を取れ

『超「超」勉強法』において、「日本人が英語ができないのは、分解法で勉強しているからだ」と述べた。*注

「分解法」とは私の造語だが、「個々の単語の意味を辞書で調べ、文法を用いてそれらを文章に組み立てていく」という方法である。つまり、単語という「部分」から、文章という「全体」を理解しようとする方法だ。

この方法がうまく機能しないのは、日本語と英語がまったく異なる体系の言語だからだ。英語とドイツ語のように似た構造の言語間であれば、辞書を引いて単語の意味を調べ、それを機械的に当てはめて文章の意味を知るという方法も機能するだろう。しかし、日本語と英語はまったく構造が違うので、このような機械的な当てはめでは、うまくいかないのだ。

では、どうしたらよいか？　『超「超」勉強法』では、**「丸暗記法」**を取るべきだと主張した。これは、「単語の意味を、個々の単語ごとに記憶しようとするのではなく、一つの文章の中で捉えよ」というものだ。そのために、文章を丸暗記する。

ChatGPTの時代に、この方法は依然として正しいか？　それとも修正が必要か？

結論をいえば、この方法が正しいことは、ChatGPTの時代になっても少しも変わらない。それだけではない。つぎの2点で、ChatGPTが丸暗記法の有効性を高めるのだ。

第1に、丸暗記のための教材を得るのが簡単になる。これについて、次項で述べる。第2に、分解法からの完全な脱却が可能になる。これについて、本章の3で述べる。

暗記する教材を探し出すのは、簡単ではなかった

丸暗記法で何を覚えるか？　学生であれば、まず教科書を覚えることが考えられる。学校の試験のために、これは最も強力な方法だ。ほぼ満点が取れるだろう。欠点は、教科書は面白くないことだ。また、社会人が英語を勉強する場合には、特定の教科書はない。

＊注　『超「超」勉強法』第3章の3。

そこで、丸暗記法の対象を探す必要がある。第1に、文学作品が考えられる。興味があるものなら、何でもよい。シェイクスピアの英語は古臭いが、暗記する価値は十分にある。第2に、政治家の演説もよい。分かりやすい言葉で、しかもはっきりと発音しているので、音源が見つかれば、英語を聞く練習になる。そして第3に、社会人であれば、自分の専門分野の文献を丸暗記するのがよい。

ところで、丸暗記する対象が決まったとして、そのテキストをどうすれば入手できるか？ かつて、英語のテキストを入手するのは容易なことではなかった。基本的には、洋書を購入するしか方法がなかったが、これは、きわめて高価だった。

ところが、インターネットの普及によって、英語のテキストを入手することが著《いちじる》しく容易になった。しかし、必ずしも望むテキストがすぐに手に入るわけではない。

例えば、シェイクスピアの『ロミオとジュリエット』の名場面の台詞を覚えたいとしよう。インターネットを検索しても、英文のテキストがどこで手に入るかは、簡単には分からない。「ロミオとジュリエット、台詞、英語」と検索すればなんとか辿り着けるかもしれないが、確実ではない。

また、テキストが得られたとしても、目的の箇所（例えば、「バルコニーの場」）がどこにあるかを見出すのは、容易なことではない。

ChatGPTに聞けば、すぐに分かる

ChatGPTがこの問題を解決してくれる。

まず、「シェイクスピアの『ロミオとジュリエット』の英文のテキストが入手できるウェブサイトを教えてください」と聞く。

そして、「バルコニーでのジュリエットの有名な独白があるのは、第何幕の第何場ですか?」と聞く。ChatGPTは、これらの質問にすぐに答えてくれる。*注

英文のテキストだけでなく、日本語訳がほしい場合もあるだろう。また、朗読を聞きたい場合もあるだろう。これらは、いったんテキストを手に入れれば、ChatGPTが簡単にやってくれる。ただし、元のサイトでこれらが得られればもっと簡単だ。政治家の演説は、録音があることが多いので、それを聞きたい。こうした場合、いろいろと条件をつけて、「これらの条件を満たすサイトを教えてください」と聞くこともできる。

私は、丸暗記法の教材のありかを示すウェブサイトのリンク集を作っていたのだが、ChatGPTの出現で、このリンク集は不要になってしまった。

＊注　プラグインなしでも、ある程度の情報は得られるのだが、Link Readerというプラグインを用いると、もっと詳細な情報が得られる。なお、プラグインについては、第2章の8参照。

丸暗記法の教材を得るもう一つの方法は、丸暗記する文章を自分で作ることだ。この方法は英語を書く訓練にもなる。これについては、本章の4で述べる。

名演説がある映画を教えてもらう

ChatGPTに映画の名場面を教えてもらうこともできる。

例えば、シェイクスピアの『ジュリアス・シーザー』。ここに、アントニーによるシーザー追悼演説という有名な場面がある。ChatGPTに頼めば、直ちにYouTubeにある動画を教えてくれる。[注1]

いちいちYouTubeのアプリを開く必要もなく、ChatGPTが教えてくれたURLをクリックするだけだ。英語のスクリプトも、日本語訳も付いている。

あるいは、エリザベスI世の有名なティルベリー演説。来襲するスペイン無敵艦隊を目前に、白馬にまたがって将兵を鼓舞する悲痛な演説だ。「この場面がある映画を」という要求に応えて、ChatGPTは、ケイト・ブランシェット主演の映画「エリザベス」を教えてくれる。

映像付きのケネディ大統領の演説もある。例えば、1963年6月、アメリカン大学における「平和演説」[注2]。イギリスの詩人ジョン・メイスフィールドの詩を引用しつつ、知を探究する大学キャンパスの美しさを讃《たた》えることから始まる演説で、私が最も好きな演説の一つだ。

こうしたものは、検索エンジンを用いても見出せないわけではない。しかし、かなり面倒だ。それに、目的のサイトが必ず見つかるわけではない。ChatGPTは、要求を出すだけで、すぐに目的のものを示してくれる。まるで、魔法の玉手箱を手に入れたような気持ちになる。

こうした道具を用いれば、楽しく勉強を進めていくことができる。

注1　マーク・アントニーの演説（1/2）。Mark Antony Addresses Roman Citizenry on the Death of Julius Caesar(First Half)-YouTube

注2　Full Transcript: President Kennedy's Peace Speech at American University(June 10, 1963)-The Singju Post

3

文章を読む訓練を、ChatGPTで行なう：丸暗記法の（2）

単語の意味を、辞書で調べるのでなく、文脈の中で理解する

ChatGPTを使えるようになっても、英語の勉強において丸暗記法が正しいことは変わらない。むしろ、丸暗記法の有効性が高まった。

具体的にはつぎのとおりだ。丸暗記の対象として選んだ英語の文章の中には、意味が分からない単語も入っているだろう。一般的な意味が分かっても、その文章の中での意味が理解できない場合もある。

そうした場合、これまでは、つぎのようにしていた。まず、辞書を引いてその意味を知り、それを文章に当てはめて、文法の知識と組み合わせて解釈し、理解する。そして、全体を理解していく。つまり単語から始めて個々の部分の理解を積み上げ、全体を理解していた。これが、「**分解法**」だ。

ところが、ChatGPTを利用できるようになったので、これをつぎのように変更することができる。

辞書を引かずに、文章全体をChatGPTに翻訳してもらうのだ。全体が長ければ、全文の翻訳でなく、要約でもよい。それを読んで、全体の意味を摑《つか》む。

このようにして全体を把握してから、英文を読むのである。つまり、**意味が分かっている英文を読む**のだ。

部分から全体への理解ではなく、全体から部分への理解

一度全体の意味を知れば、英語の文章を読んだとき、その中にある分からない単語の意味も、全体の意味や文脈から推測することができるだろう。そうしてから、全体の文章を何度も繰り返し読んで、暗記するのである。こうすれば、この文章の中にある様々な言葉の意味は、文脈から理解して覚えることになる。

つまり、分解法のように個別の単語ごとに意味を辞書で調べて全体の意味を摑むのではなく、まず全体の意味をChatGPTの翻訳で知り、それを手がかりにして文章中の単語の意味を知るのだ。

さらに、つぎのような読み方をする。

初めに、全体の核になるような主張を探す。それがどこにあるかは、日本語訳ですでに知っているから、英文でも、どこにあるかおおよその見当がつく。そして、その周辺を詳しく読む。また、全体を流し読みしてから、重要と思われる箇所を見出して、そこから理解を広げていく。

このような読み方はすぐには身に着かないかもしれないが、ChatGPTで日本語訳を読んでから英語を読むというやり方を続けていくと、自然に身に着くはずだ。

少なくとも、「最初の文章が完全に分かってから、つぎの文章に進む」というような読み方はしなくなるだろう。どこかの文章の意味が分からなくても、分からないままつぎに進み、文章全体の構造を摑むという読み方に変わっていくはずだ。

そのうち、どこが主要な部分かを早く摑めるようになる。われわれは、日本語の文章を読むときには、無意識のうちにそうした読み方をしている場合が多いのだ。同じようなやり方を、外国語の文章を読むときにもするようになるだろう。

分解法が個別の単語から文章の全体の意味を知ろうとするのに対して、この方法では、まずChatGPTで全体の意味を捉え、それによって個別の単語の意味を知ろうとする。つまり、部分→全体ではなく、全体→部分の理解になる。これは、第1章の1で述べた「超」勉強法の基本原則だ。

ChatGPTを用いることによって、このような理解の方法が可能になる。従来とは違う方法で、英語の文章を読めるようになるのだ。

幼児が文章を理解するのと同じプロセス

言葉の意味を文脈の中で捉えるのは、たいへん重要なことだ。人間の幼児も、そのような方法で文章を理解しているはずだ。個々の単語の意味をバラバラに覚え、それらを文法によって組み立てて文章を理解しているのではないだろう。つまり、「分解法」で理解しているのではないはずだ。

そうではなく、まず文章全体の意味を捉え、それまで意味を知らなかった単語は、全体の意味と前後の文脈から理解しているはずである。

実は、大規模言語モデル（ＬＬＭ）も、言葉の意味を他の言葉との間の相対的な関係で理解している。[*注] 幼児もＬＬＭも、「辞書に書いてある意味を当てはめる」という機械的な操作をしているのではないのだ。

ところが、外国語の勉強については、多くの人が分解法、つまり機械的な当てはめを行なっ

＊注　『生成ＡＩ革命』第6章の5。

ている。『超「超」勉強法』の第3章の3で、「分解法だから英語が上達しない」と指摘したように、単語の意味を単語帳で覚え、それを組み立てていくという方法では、言葉は上達しないのである。

ChatGPTによって、外国語についても、分解法からの脱却が可能になった。全体の意味を知ってから英語の文章を読めば、文脈の中でその単語の意味を推測する読み方ができるようになる。これは、英語の勉強においてたいへん重要な意味を持っている。

試験の長文読解問題が難しい理由

ChatGPTに翻訳させてその意味を知ってから英文を読むと、理解しやすくなる。「意味を知っているのだから、英文を読んで意味が分かるのは当然だ」と思われるかもしれない。

確かにそうなのだが、われわれは日常、文章を読むとき、そのおおよその意味をあらかじめ知ってから（あるいは、推測してから）読んでいる場合が多いのである。何が書いてあるかまるで分からない文章を読むということは、滅多にない。

例えば、本や新聞を読む場合、われわれは、そのような読み方をしている。本であれば章や節のタイトルによっておおよそ何が書いてあるか分かるので、その理解のもとに読む。新聞の場合も、見出しを見ておおよその内容を知ってから、中身を読む。

ところが、試験の長文読解問題では、内容が何かということは示されていない。見出しも要約もなく、突然文章が出てくる。だから、最初の文から一文一文読んでいくということになって、理解が難しくなる。

しかし、「ChatGPTに翻訳させて、全体の意味を知ってから英文を読む」という勉強法を続けていると、試験の場合にも、「まず全体をざっと眺めて、どのあたりに主要な部分があるか見当をつける」という読み方ができるようになるだろう。

4

話す訓練より、書いて聞く訓練を：丸暗記法の（3）

英語を「話す」訓練は必要ない。「聞く」訓練こそが重要

文部科学省は、２０２３年７月、中学高校の英語教育において、対話型ＡＩを用いて「日本の生徒が苦手とする英語で話す力の底上げを目指す」という方針を発表した。

私は、この方針は間違っていると思う。その理由は２つある。

第１の理由は、実際の場面では、英語を「話す」ことより、「聞く」ことのほうがはるかに重要であることだ。

例えば、英会話の参考書には、外国の町で道が分からなくなったとき、「駅に行く道を教えてください」などと聞く例文が載っている。しかし、この例文に従って質問をしたとしても、答えが、猛烈な速さの分かりにくい言葉で返ってくる場合がある。それを理解することができなければ、質問できたとしても意味がない。つまり、**重要なのは、「正しく聞けること」**なの

だ。

答えを正しく聞けるなら、正しい英語の疑問文でなく、"Station? Station?" と叫ぶだけでもいいかもしれない。そうしたほうがずっと役に立つ。留学生の生活を考えてみても、聞くことの重要性は明らかだ。一日のほとんどは、本や論文を読むことに費やされる。残りの時間は、教室で講義を聞いている。そして、自分から話をするような機会は、ほとんどない。

完全に聞ければ、自動的に話せる

文部科学省の方針が間違っていると考える第2の理由は、「完全に聞くことができれば、自動的に話せるようになる」ことだ。

そんなことは信じられないという人が多いかもしれない。しかし、これは間違いない。うまく話せないのは、聞いて理解できないからなのだ。「聞いたことを完全に理解できるのに、自分からは話せない」という状況は、まず考えられない。それにもかかわらず、日本人には、英語を聞く練習を忘れて、ただ「英語を流暢《りゅうちょう》に話したい」と考えている人が多い。

オンラインの英会話個人指導というものがある。フィリピンなどの人たちとオンラインで会話をするものだ。しかし、こうしたことをいくらやっても、英語を話す力はつかないだろう。

本章の2で述べた方法で音源を探し、それを完全に理解できるようになるまで何度も聞く訓練をするほうが、はるかに効率的だ。以下では、もう一つの効率的な方法を提案する。

ChatGPTの添削も説明も実に的確

自分がやっている仕事に関して必要な英語の文章をウェブから探してくるのは、簡単ではない。しかし、ChatGPTに手伝ってもらえば、自分で作ることができる。英語の文章の添削を頼んで、直した文章を暗記すればよいのだ。これによって、英語を書く訓練と、話す訓練が同時にできる。しかも、自分にとって必要な表現を学ぶので、興味を失うことがない。

ChatGPTと会話を進めることによって、これができる。その具体例を以下に示そう。

最初に私から、「つぎの文の文法や表現について間違いを指摘し、どこが間違っているかを説明し、どう直せばよいかを指摘してください」として、つぎの文を示した（これは、わざと間違えた文だ。私はこんな奇妙な文は書かないので、念のため）。

“Japan economy now is not good. Stock rise but price rise too. Wage not rise.”

これに対して、ChatGPTから修正提案があり、私がそれに対してさらに修正するということを数回行なった。そして、最終的には、つぎのような文になった。

"The economy in Japan is not good right now. Although stock prices are rising, the cost of living is also increasing. However, wages are not rising."

theの使い方を直してくれる

この過程で、ChatGPTの指導は実に的確だった。とくに重要なのは、"the"の使い方について適切にアドバイスしてくれたことだ。

日本人が英語を書く場合に最も難しいのは、theの使い方だ。日本人が書いた英語を見ると、この誤りがきわめて多い。theの使い方が難しいのは、明確なルールがないからだ。これについては、『超「超」勉強法』第3章の4で詳しく書いた。ネイティブスピーカーに聞くと、間違っているところを指摘してくれるのだが、なぜ間違いなのか、ルールはどうなっているのかを問いただしても、明確な答えが返ってこない。しかし、間違いは間違いなのだ。

これまで、この問題を解決する方法はないと思っていたのだが、ChatGPTが誤りを修正してくれるようになった。しかもその修正は、正しいと考えられる。これによって日本人が英語で正式な文章を書く際に、ネイティブスピーカーに頼らなくても済むようになった。これは、たいへん大きな変化だ。

5

基本的な専門用語も教えない日本の外国語教育は、何のため？

仕事の英語で必要なのは、専門分野の専門用語

社会人になってから必要とされる英語は、専門分野の英語だ。会話といっても一般的な挨拶《あいさつ》などではなく、仕事上の案件について話すことが必要なのだ。仕事での英会話とは、「こんにちは」「ご機嫌いかがですか」というようなものではない。その分野に特有の用語や表現を正しく使えることが必要とされる。

ところが専門分野ごとの英語を勉強するのは、これまで、それほど簡単なことではなかった。英会話学校に行っても学ぶことはできない。丸暗記しようとしても、自分の専門にぴったりのテキストや音源を探し出すのは、それほど簡単ではなかった。

本章の4で述べた方法によって、ChatGPTの助けを借りながら専門分野の英語を学べるようになったのは、日本人にとって画期的なことだ。

「eのx乗」を何という?

日本の学校教育では、仕事に役立つ英語の教育が著しく遅れていた。これは、日本の英語教師、とくに大学の教養課程での外国語教師の多くが、文学部の出身者であるからだと思われる。彼らは、文学については豊富な教養を持っているが、他の専門分野についてはよく知らない。また、興味がない。だから、専門的な用語を教えることができない。教材にはその言語の文学作品が使われ、専門分野に関する英語の教育はまったく行なわれない。

そのため、「数学で日常的に使っている表現すら教えてくれなかった」ということになった。だから、英語で数式を読むというような基礎的なことをできない人が、日本人には多い。日本の専門家には、世界的な場で発表することをできない人が多いのである。

例えば、「eのx乗は何というのか」ということさえ、学校では教えていない。[注1] 私は、この問題に、留学先の教室で初めて遭遇した。黒板の前で立ち往生し、「こんな簡単なことすら、日本では教えてくれなかった。いったい、日本の大学での英語の授業は何のためのものだったのか」と、腹立たしく思った。

注1　eのx乗は、“e to the x”。正確には、“e to the power of x”。

実は、本書を書いている途中で書棚を見渡して、だいぶ昔に買った『数の英語』という本を見つけた。それを丹念に見たのだが、「e の x 乗」の読み方は出てこない。黒板の前で立ち往生している日本人留学生は、いまだに多いだろう。

それどころではない。分数も読めない。「2/3」は、"two-thirds"、あるいは"two over three"ということは知っているだろう。では、「3 か 11/54」(3 + 11/54) は、何と読めばいいのか？ あるいは、「A/B」は何というのか？[注2]

いまなら、インターネットで検索すれば、ある程度のことが分かる。しかし、私が黒板の前で立ち往生した当時、インターネットはなかった。そして、教科書にも論文にも、この答えは書かれていない。唯一の方法は、誰かに教えてもらうことだったのである。

いまでは、誠にありがたいことに、ChatGPT に聞けばすぐさま教えてくれる。こんな素晴らしい教師はいない。

専門用語は、その分野の専門家が教える必要がある

専門的な問題に関する国際会議では、通訳者が事前に専門用語について発表者に説明を求めることがある。専門の通訳者も、特定分野の専門用語については、十分な知識を持っているとは限らないのだ。

これは当然のことである。専門分野の用語は専門的な概念と結びついているので、概念が分からないと理解できない。だから専門分野外の人が専門用語を理解しようとしても、難しいのである。

どんな分野でもそうだが、専門用語は日常用語と乖離《かいり》している。例えば、経済学でutility（効用）は最も基本的な概念の一つだが、日常生活でutilityといえば電気代やガス代のことだ。私は、経済学における「効用」の意味を先に覚えたので、日常生活で、これが電気代やガス代の意味に使われることに、いまだに違和感を抱いている。

またprogressiveとは「進歩的な」という意味だが、progressive taxというのは、進歩的な税ではなく、累進税のことだ。

こうした英語は、英会話学校に行っても学ぶことはできない。そこにいるのは外国人であっても普通の人であり、特定分野の専門家ではないからだ。各分野の専門の外国人を揃《そろ》えることは、コストのうえで不可能だ。

だから、オンライン英会話で、フィリピンの若い人たちといくらおしゃべりしたところで、

注2　「3か11/54」は、“three plus eleven fifty-fourths”。「A/B」は、“A divided by B”だが、普通は“A over B”という。

仕事で役立つ英語を学ぶことなど、絶対にできない。

この問題は、専門科目の講義を英語で行なうことによってしか解決できないものだ。しかし、それを実行するのは、様々な意味で難しい。分野ごとの専門家を英語の教師にするというのは、ほぼ不可能に近い。

このように、仕事のうえで使える英語を学ぶことは、これまで日本ではたいへん難しいことだった。しかし、ChatGPTの登場によって条件が大きく変わった。専門分野の英語を学習することが容易になったのである。これを用いて、日本人が各専門分野での英語の能力をつけ、国際的な交流を深めていくことが期待される。

日常生活で必要な特殊用語も教えてくれなかった

外国語が必要なのは、専門分野でのコミュニケーションだけではない。日常生活においても必要なことだ。

外国での生活でまず困るのは、医療関係の言葉だ。病名や薬の名前を言われても、理解できない。また、自分の病状を適切に伝えられない。お腹がシクシク痛む、肩が凝っている、なんとなく頭がボーッとしているなどの症状を、どう表現したらよいのか？

医師と面談しているときに突然医学用語が出てくると、理解できない。だから、事前に勉強しておくことが必要だ。

これらについても、日本の外国語教育では十分に教えていない。日本の外国語教育は、こうした面でも不十分だ。ChatGPTは、これらに対しても、理想的な教師になってくれる。

ChatGPTは日常生活での専門用語にも強い

日常生活では、もっと様々な表現が必要とされる。例えば、庭師とつぎのような会話をしている場合だ。

「枝が分かれているところで、細いほうの枝を切ってください」。これは、英語では、つぎのようになる。"Please cut the thinner branch where it branches off."

「しなっている枝を正しい形に直してください」なら、"Please straighten the bent branch into its proper shape."

「草が茂っているところで、背の高い草を刈り取ってください」なら、"Please mow the tall grass where the grass is thick."

こうした英語も、なかなか難しい。草を刈るのをmowと表現できる日本人は、滅多にいないだろう。ところが、このような「日常生活的専門用語」に関しても、ChatGPTは対応できる。人間の外国語教師は、哲学的表現や文学的表現は知っているが、このような専門用語を知っているのかどうか大いに疑問だ。

日本の大学の外国語教育は、競争力低下の大きな原因

外国人と意思の疎通ができないのは、医学用語や園芸用語に限った話ではない。私は昔、ある大学の英語教師が外国出張から帰ってきて、「アメリカに行ったら一言も通じないので驚いた」と言ったのを聞いたことがある。驚いたのはこちらのほうだ。

人材に関する競争力ランキングにおいて、日本の順位はきわめて低い。とくに低いのが、経営者の国際感覚だ。

スイスのビジネススクール・IMDが公表する世界人材ランキングの2023年版で、日本は、世界64カ国・地域中で43位だ。[注1]「上級管理職の国際経験」への評価が、調査対象国・地域で最下位の64位だった。「語学力」は60位だ。

上級管理職が国際経験に乏しいこと、グローバルに活躍しうる語学力に欠けることは、日本衰退の大きな原因だ。

このようなことになってしまうのは、大学での外国語教育の責任だと考えざるをえない。世

界最大の成人の英語能力ランキングであるＥＦ ＥＰＩ英語能力指数ランキングの２０２３年版で、日本は、１１３の国・地域中で87位だった。アジアの23の国・地域の中では15位だ。[注2] 外国語の教育体制は、日本の企業の競争力に直接影響する大問題なのである。

注１　IMD/World Talent Ranking 2023
注２　ＥＦ ＥＰＩ、ＥＦ英語能力指数、世界１１３カ国・地域の英語能力ランキング。

6

そもそも、外国語を勉強する必要があるか？

翻訳と要約の組み合わせは、非常に便利

テキストファイルになっている文献であれば、Google翻訳などの自動翻訳にかけて、外国語の文献を日本語に直したり、日本語の文献を外国語に直したりすることが容易にできる。少なくとも主要言語間の翻訳については、ほぼ実用レベルになっている。検索で表示される外国語（とくに英語）の文献は、翻訳サービスを経由せずに、直接に日本語訳を見られるようになっているものが多い。

ChatGPTは、こうしたことに加えて要約もできるので、翻訳と組み合わせれば、外国語の文献を読むのが著しく容易になる。これまでは、重要な文献であっても、外国語であるというだけの理由で敬遠する人が多かった。ChatGPTはこうした状況を大きく変えるだろう。

私は2023年9月にnoteにおいて、ChatGPTの利用方法を尋ねるアンケートを行なった

のだが、「外国文献の翻訳と要約」という用途が最も多かった。*注

外国語の勉強は依然として必要

ついこの間まで、外国語を勉強する必要性は自明のことだった。なぜ必要かを、わざわざ説明する必要はなかった。ところが、自動翻訳が発達して事態が変化した。外国語を使えることが本当に必要なのかどうかについて、疑問が生じたのだ。

そして、ChatGPTによって翻訳が著しく簡単になったので、「人間が外国語を理解しなくてもよいのではないか？」という疑問は、現実的なものとなった。ChatGPTがきわめて精度の高い翻訳や即時通訳のサービスを提供してくれるのであれば、それを利用すればよいのであって、苦労して外国語を勉強する必要はなくなったように思える。

しかし、私は、外国語を勉強する必要性はなくなっていないと考える。その理由は、2つある。第1は、自動翻訳を介するより、人間同士の直接のコミュニケーションが望ましいからだ。直接のコミュニケーションの必要性は、いくらAIが進歩してもなくならない。第2は、文化

*注　生成系AIに関するアンケート調査結果：第一次集計（https://note.com/yukionoguchi/n/n86ce0697b7de）。

的多様性の維持のためだ。これらについて、以下に述べるとしよう。

まず学生の立場から見ると、入学試験で英語（または他の外国語）の試験を課される状況が変わらない限りは、勉強する必要がある。

社会に出てからの必要性から見ても、英語が必要である状況は変わらないだろう。なぜなら、日本人が日本語を使い続け、アメリカ人が英語を使い続けるという状況は変わらないからだ。これらの間の翻訳がChatGPTによってこれまでより容易になったのは事実だが、しかし、すべてをChatGPTに任せることはできない。

第1に考えられるのは、日本人が外国で仕事をしたり、勉強したりする場合だ。滞在期間が数カ月以上になる場合には、日本語だけでは不十分だ。

ただし、どんな国においても、その国の言葉が必要であるわけではない。状況によって差はあるだろうが、英語で用が足りる場合がかなり多いと考えられる。

すべてをChatGPTに任せるわけにはいかない

すべてをChatGPTに任せられるかどうかを考えるため、外国人との間の、人間同士での会話と、ChatGPTの自動翻訳を介した会話と、どちらがよいのかを比較してみよう。

対面での会話は、通訳を介するのではなく、人間同士がどちらかの言語で行なうほうが円滑にできる。会食などの場合に自動翻訳を通じて話すのでは、味気ないと感じる人が多いだろう。微妙な感情を伝えることができない場合が多いからだ。例えば、ChatGPTが言葉遊び的なジョークを適切に翻訳してくれるかどうかは疑問だ。

ここから分かるように、ChatGPTを介するコミュニケーションは、人間同士の直接のコミュニケーションに比べて質が低い。だから、ChatGPTに依存する人が増えれば、直接に英語でコミュニケーションできる人の相対的な価値が上がる。

では、仕事上の事務的なやりとりではどうだろうか？　外国語能力が不完全な人間同士の会話では、間違いが生じることは十分にありうる。それよりも、ChatGPTによる正確な翻訳のほうが望ましいということはあるだろう。

しかし、文章をChatGPTに翻訳させても、その文章が本当に適切なものかどうかの最終的な判断は、人間が行なう必要がある。不適切なら、それを人間が修正する必要がある。こうしたことを行なうためには、人間が外国語を使える能力を持っていなければならない。

ChatGPTはコミュニケーションの量を増やすが、人間同士の直接会話の必要性は不変

ChatGPTが使えるようになったことは、人間同士の直接のコミュニケーションの必要性の低下を意味するように思えるかもしれない。しかし、そうではない。

ChatGPTを使う意味は、コミュニケーションの「量」を増やすことにある。ChatGPTによって、コミュニケーションが容易になるからである。

しかしそれは、すべてのコミュニケーションがChatGPTを介して行なわれることを意味するのではない。なぜなら、右に述べたように、人間同士の直接のコミュニケーションの必要性がなくなるわけではないからだ。

以上で述べたことは、英語に限らず、あらゆる言語についていえる。とくに中国語についていえるだろう。

ChatGPTは、外国語の教師や通訳・翻訳者の役割を減少させる。そして、その人たちの職を奪う。しかし、その他の人々が直接に外国語を使えるようになることの重要性を減少させるわけではないのだ。

以上をまとめると、つぎのとおりだ。ChatGPTが外国語を勉強する必要性を減少させることは否定できない。しかし、「ChatGPTが翻訳してくれるから外国語を勉強する必要がない」と考えるのではなく、「ChatGPTがあるから、それを使って外国語を勉強しよう」と、人々が考えるようになることを望みたい。

外国語を勉強することは、世界を広げることだ。それは、自動翻訳がいかに発達しても変わらない。ChatGPTの登場によって、われわれは世界を広げることが容易になった。その可能性をぜひ実現しよう。

文学作品の理解のために外国語を学ぶ

言葉は、芸術や文化と密接に結びついている。

日本の芸術や文化も素晴らしいが、外国の芸術や文化も素晴らしい。外国人に日本の芸術や文化を理解してもらい、日本人が外国の芸術や文化を理解し楽しむためには、翻訳や通訳に任せきりにするのではなく、自ら外国語を使えることが必要だ。そうした観点からの外国語の必要性を、われわれはもっと認識すべきだ。

文学作品など言葉のニュアンスが重要であるものについて、自動翻訳では、真の価値は理解できない。ことに詩の場合には、翻訳すれば、ほとんど価値がなくなってしまう。

外国の文学作品は、作者の国の言葉でないと、その真の価値を理解できない場合が多い。シェイクスピアの戯曲は英語でなければ、ゲーテの詩はドイツ語でなければ理解できない。イタリア語のオペラを少しでも分かると、とても楽しい。外国の映画についてもそうだ。字幕では理解できないところが多い。とくにジョークについては、まず伝わらないと考えるべきだろう。

外国語の勉強を放棄することは、以上のような理解を捨てることだ。日本人が外国の文化に接することが、自動翻訳を通じて間接的にのみなされるようになれば、日本人の外国に対する親しみや理解が低下するだろう。また、日本人が日本列島の中に閉じこもってしまえば、日本が世界から理解されなくなってしまうだろう。

文化の多様性を維持するために

日本人の論文が日本語だけで発表されれば、世界に認められるのは難しい。少なくとも英語で発表される必要がある。その場合に、自動翻訳では不十分なことがあるだろう。

日本のプレゼンスを世界に示すためには、論文の著者が、少なくとも英語でコミュニケーションを行なえることが必要だ。この必要性は、自動翻訳がいくら進歩しても残るだろう。

ところが、日本国内では、ChatGPTなどの自動翻訳によって外国語を理解できるようになるので、日本人が英語を勉強しなくなり、その結果、世界で日本のプレゼンスが低下するおそれがある。この問題はこれまでも存在したが、それがさらに大きくなる危険がある。これは深刻な問題であると考えざるをえない。

かといって、日本語をなくして、日本人が英語を使うようになればよいというわけではない。日本語が消滅すれば、日本文化も消滅してしまう。

言語の多様性は文化の多様性のために重要な意味を持っており、そして文化の多様性は、進歩のために不可欠だ。すべてが同一化してしまえば、進歩はできない。

ChatGPTは、多数の異なる言語間をつなぐことによって、様々な言葉の存続を可能にする。ただ、その世界で生き残るためには、独自の文化を持っていることが必要だ。

私は、日本人がChatGPTを利用して英語などの外国語の勉強を進め、それによって世界に進出し、そして海外の人々や文化を受け入れる社会が実現することを望みたい。

それは、英語教育だけの問題ではない。フランス語やドイツ語を日本人の誰も理解できないという社会は、わびしい社会だとしか思えない。勉強することが容易になるのだから、人々が外国語の勉強を続けるような社会を望みたい。

さらに、勉強そのものに意味がある。勉強は、何らかの手段として必要というだけでなく、勉強すること自体が楽しく、意味があることだ。外国語の勉強についてもそうだ。ChatGPTによって、人間が外国語を理解し、使えることの必要性が低下したとしても、なおかつ外国語を勉強することが望ましいと思う。この考えには、多くの人が賛同するだろう。

第４章のまとめ

1 ChatGPTは、外国語の勉強にきわめて大きな威力を発揮する。人間の外国語教師は、とても太刀《たち》打ちできない。

2 ChatGPTは、丸暗記法のための教材をいくらでも教えてくれる。魔法の玉手箱のようなものだ。

3 英語の文章をChatGPTに翻訳してもらい、日本語で大意を摑んでから英語の文章を読むと、知らなかった単語の意味を推測できる。つまり、英単語の意味を辞書で調べるのではなく、全体の文意から推測できる。こうして、分解法からの脱却が可能になる。

4 文部科学省は、対話型ＡＩを用いて「英語で話す力の底上げを目指す」としたが、この方針は間違いだ。それよりも、自分が書いた文章をChatGPTに添削してもらうほうがよい。文章を書く訓練になるし、こうして作った文章を丸暗記法に用いることもできる。

5 日本人の外国語力は低い。とくに、専門用語が非常に弱い。企業の上級管理職の国際経験は世界最低で、日本衰退の大きな原因になっている。こうなってしまったのは、外国語の教育が外国文学の専門家によって行なわれてきたからだ。

6 いくら自動翻訳が発達しても、外国語を勉強する必要がある。言葉は文化であり、異質な文化を知るには、その国の言葉を知る必要があるからだ。

第5章

ChatGPTは国語の勉強の強力な助け

1

適切な表現を教えてもらう

大いに役立つが、論理的思考は間違うことも

国語の勉強は、日本語という言語の勉強だ。したがって、大規模言語モデルであるChatGPTは得意なはずだ。実際、本章の2や3で述べるように、大いに役立つ面があることは間違いない。

しかし、第4章で述べた英語の場合とは異なり、国語の場合にはいくつかの問題がある。とくに、本章の6で述べるように、ChatGPTが論理的な思考で不得手なのは、大きな問題だ。

なお、本書では、国語の勉強として、文章を書くことを中心に述べる。文章を読んでその内容を理解するのは重要なことだが、これに関してChatGPTが直接に寄与するところは少ない。これについては、従来のような勉強法が必要だ。

明らかな誤りを修正してもらう

文章を書くにあたって、誤字・脱字、用語の誤り、文法上の誤り、敬語の誤りなどは、最低限避けなければならない。

基本的な文章表現力に自信がない人は、メールや報告書等について、ChatGPTに校正をしてもらうのがよい。これについて、ChatGPTの能力はきわめて高い。これを続けていれば、正しい文章の書き方を自然に勉強することができる。

日本の学校では、正しい文章を書く訓練を十分に行なっていない。また、入学試験でも、この能力のテストを十分に行なっていない。したがって、正しい文章を書くことのできない人が大勢いる。

ところが、仕事をするようになれば、文章でのコミュニケーションはきわめて重要だ。メールで連絡をするようになってから、文章によるコミュニケーションが増えた。このため、正しい文章を書くことは、仕事をするうえで必須の条件になった。

なお、音声入力したテキストの明らかな誤りの修正についても、ChatGPTは非常に強力だ。ただし、最近では、音声入力の精度が急速に上がってきたので、この点での役割は減少した。将来はもっと減少するだろう。

意味を調べるのでなく、適切な表現を求める

文章を読む場合、意味の分からない言葉が出てきたら、国語辞典を引いて、その意味を調べる。文章を書く場合には、これと逆のことが必要になる。つまり、特定の概念や感情、状況などを、どのように表現すればよいかを考える必要が生じる。「表現したいことの内容は頭の中にあるのだが、それをどのように表現したらよいか分からない」ということが頻繁に生じるのだ。

例えば、「ある音楽を聴くと、高校生のときに毎日のように聴いていたことを思い出し、その頃の自分の状況や考えていたこと、友人たちとの会話などを思い出して、なんとも言えない気持ちになる。それを細かく説明することはできるのだが、この気持ちを一言で表現するには、どう書けばよいのか?」というようなことだ。「なんとも言えない気持ち」ではなく、それを適切な言葉で表現したい。

同じようなことは頻繁に生じる。思いつくのはよく使われている陳腐な表現なので、同じ意味で、もっと的確な表現がほしい、などという場合だ。

日本語には、よい類語辞典がない

英語では、こうした目的のために作られた「類語辞典」が昔からあった。とりあえず思いつ

く言葉を引き、その類語から、より適切な表現を探し出すのだ。『ロジェ』（*Roget's Thesaurus of English Words and Phrases*）は、最も有名な類語辞典だ。

しかし、日本語には、よい類語辞典がなかった。ウェブに辞書が登場するようになって、類語辞典的なものが日本語についても現れたが、ロジェに匹敵する水準のものは、いまだにない。日本語では、「意味から言葉を見出す」のは難しかったのだ。

この機能を、ChatGPTに求めることができる。うまくいくかどうかを確かめるため、先の問いを投げかけてみた。

これに対して、ChatGPTは、つぎのような回答を即座に出力した。

〈懐かしい、センチメンタル、ノスタルジック、時を超えた感慨、過去への郷愁。「懐かしい」や「センチメンタル」「ノスタルジック」などは、過去の思い出や感情が現在の自分に影響を与えることを表現するのに適しています。とくに「ノスタルジック」は、過去の良い思い出や感情を懐かしく思う気持ちを強く表現するのに適しています〉

確かに、「なんとも言えない」とか「懐かしい」というよりは、「ノスタルジック」のほうがよいだろう。

曖昧にしか知らなかった言葉の正しい使い方を知る

ある言葉の使い方を曖昧《あいまい》にしか知らなかった場合に、ChatGPTに聞いて確認することもできる。

例えば、私は、「格段に」か「格段と」か、迷うことがしばしばある。これについてChatGPTに尋ねると、〈「格段と」は間違いで、「格段に」が正しい〉という明確な答えが返ってきた。

なお、ウェブの辞典では、「格段に」という用法は示されているが、「格段と」は示されていないので、たぶん「格段に」が正しいと推測されるのだが、ChatGPTの答えのほうが単純明快だ。

なお、何十年かぶりに『広辞苑』を引っ張り出して調べたところ、「格段」という言葉の意味を示しているだけで、右のどちらが正しいかについての記述はなかった。

語彙不足を補ってもらう

本来であれば、語彙《ごい》は大量の読書を通じて自然に身につけるべきものだが、語彙不足の人でも、ChatGPTに助けてもらうことができる。

表現そのものを聞くこともできる。例えば、「『豪華さを誇る』の類語を10個挙げてください」と聞くと、直ちに候補を示してくれる。

ただし、注意が必要だ。ChatGPTに助けてもらったところだけが素晴らしい表現で、他の箇所と釣り合わなくなるかもしれない。また、急に語彙が増えると、他の人にいぶかしく思われるかもしれない。徐々に使うことにしよう。

日本の学校では、文章を書く訓練をしていない

文章を書く訓練を、日本の学校では十分に行なっていない。個別指導が必要なので、たいへんなのだ。書かせた文章を採点するのも、試験をする側にはたいへんな負担なので、あまり行なえない。

したがって、学校での国語の教育は、書かれたものを読むことが中心になる。入学試験も長文の読解が中心だ。

このため、文章を書く訓練を十分に受けずに学業課程を終える場合が多い。そこで、単に分からない言葉の意味を聞くだけではなく、文章力を磨く目的のためにもChatGPTを使うのがよい。なお、この方法は、日本語だけでなく、外国語についても使える。

2

例や比喩で「グラウンド」させる

例や比喩を使うと説得力が強まる

第2章の4でシンボル・グラウンディングについて説明した。文章の説得力を強めるために、この概念を応用できる。それは、説明を分かりやすくするために、例や比喩を用いることだ。つまり、抽象的な概念を、具体的なものに「グラウンド」させるのである。

イエス・キリストは、信仰の重要性を人々に理解させるために、しばしば比喩を用いた。「イエスすべてこれらのことを譬《たとへ》にて群衆に語りたまふ。譬ならでは何事も語りたまはず」（『マタイによる福音書』13章34節）と記されている。

例えば、信仰心が育つことを、麦の生育に喩《たと》えている説教がいくつもある。イエスの言葉の強い説得力は、このような比喩に支えられているところが大きい。

なお、右の私の説明は、喩えが強力であることの例を示したものである。「例を示すと説得力が高まる」と一般的・抽象的に言うだけでなく、「イエスの説法」という具体例を示すことによって、私の主張の説得力は増強されたはずだ。

考えてみると、「シンボル・グラウンディング」という言葉自体がそうだ。「抽象的な概念を身近なものと関連づけて理解する」というような説明ではなく、「グラウンディング」と言えば、直ちにその意味が分かる。商品名などでも、日常的な感覚にグラウンディングしていると意味がよく分かる。

例や比喩をChatGPTに教えてもらう

ただし問題は、適切な例や比喩がなかなか思い浮かばないことだ。

そこでChatGPTの助けを借りる。「このようなことを表現したいのだが、この例として何か適切なものはないか?」「比喩として適切なものはないか?」などと聞くのである。

ChatGPTは、この問いに対して、いくつもの候補を挙げてくれる。その中には、要求に合うものがあるだろう。それを利用することによって、あなたの文章の説得力は増強される。

実は、本章の1の例（音楽を聴くと、過去が懐かしくなる）も、ChatGPTとの会話から思いついたものだ。

「『表現したいことの内容は分かっているのだが、それをどういう言葉で表現したらよいか分からない』ということがある。こうした例として、どんなことを挙げたらよいでしょうか？」という私の問いに対して、ChatGPTがいくつかの候補を挙げてくれたのだ。また、適切な比喩を教えてもらうこともできる。これらによって、文章の説得力が向上する。

3 敬語の使い方を教えてもらう

日本語では、敬語がきわめて重要

日本語の文章でとくに難しいのは、敬語だ。敬語は、日本語の文章において重要な意味を持っている。連絡文などでこれを間違えると、たいへん失礼なことになる。

英語、ドイツ語、フランス語などでも、敬語的な表現はある。ただし、日本語の敬語ほど厳格で複雑なものではない。日本語の敬語は、重要であり、しかしその反面で、日本人でさえ必ずしも正しく使えないほど、複雑で微妙なのだ。

正しい敬語を使うことは昔から必要だった。ただ、対面での口頭の会話や電話での会話では、あまり気にならない。また、記録に残ることもない。

ところが、連絡の多くがメールでなされるようになると、敬語の使い方がたいへん重要になった。相手は、敬語の使い方によって、送信者の一般的な能力を判断することになる。送信者個人が評価されるだけではない。敬語の使い方を訓練していないということになり、その人が属している組織全体が低い評価を受けることになってしまう。

しかも、敬語の使い方が間違っていたとしても、それを指摘してくれる人はあまりいない。指摘すれば角が立つ。だから、そのままにしてしまう。すると、間違った敬語は訂正されずにいつまでも使われ続けることになる。本人が気づかぬうちに、評価がどんどん下がってしまうのだ。

敬語の使い方を、その都度ChatGPTに聞く

『「超」書く技術』において、敬語の使い方がきわめて重要であると述べた。*注 ただ、そこではスペースの制約から、一般的な原則といくつかの例を挙げることしかできず、個々の場合についてどのような表現が正しいかを述べることはできなかった。

では、ChatGPTに尋ねれば、個々の場合の正しい敬語の使い方を具体的に教えてもらえるだろうか？

結論をいえば、かなりの程度でできる。したがって、敬語の使い方について疑問が生じたら、その都度ChatGPTに正しいかどうかを判断してもらうのがよいだろう。重要な連絡文なら、必ずChatGPTに確かめるのがよいだろう。

謙譲語と尊敬語を混同する「コンビニ敬語」

敬語で最も間違いが多いのは、謙譲語の使い方だ。謙譲語と尊敬語を混同している人が多い。例えば、ファミリーレストランなどで、「コーヒーと紅茶のどちらにいたしますか？」「どういたしましたか？」などと聞かれることがある。

しかし、これは相手の行為に「いたします」という謙譲語を使って相手を低めているので、間違いであり、たいへん失礼だ。正しくは、「コーヒーと紅茶のどちらになさいますか？」「どうなさいましたか？」と言うべきだ。右に述べたのは、コンビニエンスストアなどでもよく聞く表現で、「コンビニ敬語」とか「バイト敬語」などとも呼ばれる。

また、「こちら領収書になります」という表現をコンビニエンスストアなどで聞く。正しくは、「こちらは領収書です」と言うべきだ。

最近では、コンビニ敬語がビジネスの文章にも侵入してきた。事務的なメールで、「これが今日の会議の資料になります」などと書いてある。これでは、「これから資料に成長しますが、いまの段階では資料になっていません」ということになる。「これでは不十分だ」と言われた

＊注　野口悠紀雄『「超」書く技術　150字で人生を変える』（プレジデント社、2022年4月）第2章。

場合に、「いいえ、これはまだ資料の卵の段階で……」と言い訳したい気持ちが心の底にある。つまり、自信のなさが、こうした表現に表れているのだ。

「お」の使い方は難しい

日本語の敬語のルールは複雑で、正しい使い方が分からないことが頻繁にある。メールを書くときに、しばしば迷う。

「お手紙ありがとうございます」と書くことはできるが、「おメールありがとうございます」と書くのはいかにも奇妙だ（一般に、カタカナの外来語には「お」を付けない）。ではどう書いたらよいのか？（私は、「メールのご連絡ありがとうございます」と書いている）

また、「お送りいたします」というのは二重敬語になるため、適切でないと考えられるのだが、「お送りします」だけだと、素っ気ないような気がする。どう書いたらよいだろうか？

英語の定冠詞“the”の使い方は実に難しく、外国人であるわれわれから見ると、「ルールがない無法地帯」にしか思えない。[*注] 日本語の敬語も、それと似た状態にある。

「お送りいたします」は正しいか？

「お送りいたします」は二重敬語なので、間違いではないだろうか？という疑問に対して、

ChatGPTは、矛盾した答えを出した。最初に聞いたときには、つぎのような答えだった。
〈「いたします」は謙譲語Ⅱ（動作の尊敬を表さず、自分の動作をへりくだって言う表現）の形だ。そして「お送りする」は尊敬語の形となる。このため、この組み合わせは二重敬語と見なされる可能性がある。「文化審議会答申　敬語の指針」の中で、二重敬語は適切でないという指摘がされている。したがって、「お送りいたします」は二重敬語として適切でないと判断されることが多いだろう。通常のビジネスシーンなどでは「送りいたします」や「お送りします」といった形を使用するのが適切だ〉

これは、奇妙な答えだ。二重敬語だという点には私も賛成だが、「送りいたします」などと言うだろうか？

ところが、時間をおいてもう一度聞くと、つぎのような答えだった。
〈「お送りする」は尊敬語であり、「いたします」は謙譲語だ。したがって、これらの組み合わせは、相手への尊敬と自分の行為に対する謙遜を同時に表現する形となる〉
ChatGPTからこのように矛盾した答えが得られるのは、よくあることだ。頼りすぎは危険だ。

＊注　『超「超」勉強法』第3章の4。

「お」の表現は、無法状態

ある集まりでこのことを話したら、「『お台場』は固有名詞なのに、なぜ『お』が付くのか?」という疑問が提起された。

「台場」は外敵から国を守る施設なので、尊敬の念があったからなのだろう。では、尊敬の対象に「お」を付けるのが一般的なルールかと、改めて考えてみると、「お山」「お池」というのに、「お川」「お森」「お林」「お野原」などとはいわない。なぜ、山と池だけが尊敬の対象となるのだろうか?

身体についてもそうだ。おからだ、お顔、お耳、お口、お腹、お背中は「お」を付けられる。足にいたっては「おみ足」だ。しかし、頭、歯に「お」は付けられない。相手の歯はどう表現すればよいのだろうか? ChatGPTの答えは〈貴方のお歯〉だったが、こんな表現があるだろうか?(なお、「お歯黒」は歯のことでなく、歯を黒く染める風習のこと)

食べ物に関しては、もっとはなはだしい。外来語でないものだけをとっても、つぎのとおりだ。明確なルールらしきものを見出すことができない。無法状態としかいいようがない。英語の定冠詞と似た状態だ。

1.「お」を付けるのが普通であるもの(ないと、粗雑な印象)

お米、ご飯、おご飯、おむすび、お味噌、お味噌汁、お豆腐、お香々、おかゆ、おせんべい、お刺身、お魚、お肉、お酒

2.「お」は少し変だが、許容範囲内

お麦、お人参、おなす、お大根、おねぎ、お玉ねぎ、おきゅうり、おリンゴ、おみかん、おブドウ、おイチゴ、お卵、お海苔、お干物、お唐辛子

3.「お」を付けると奇妙なもの

柿、きのこ、どんぐり、梅干し、さつま揚げ、ハンペン、魚の個別名（鯖、まぐろ、うなぎなど）

文化審議会の指針に従った使い方を教えてもらう

敬語の使い方については、文化審議会が、「敬語の指針」（2007年）を公表している。かなり詳しい指針で、実際に敬語を用いる場合の参考になる。ただし、この報告書は長文であるため、すべてを読むのは簡単なことではない。

そこで、ChatGPTに、「この報告書に沿った形で答えてほしい」と頼むことができる。

ChatGPTは、〈この報告書に沿った形で答えます〉と言ってくれる。あるいは、「この問題に対する文化審議会報告書の見解はどうなっていますか?」と聞くこともできる。

4 分かりやすい文章のアドバイスを得られるか？

ChatGPTが書く文章の質はあまり高くない

以上で述べたのは、文章を構成する部品である「単語」に関することだ。では、それらを「文章」に組み上げていく過程において、ChatGPTは適切なアドバイスをくれるだろうか？

第4章の4で、ChatGPTは英語について、適切で分かりやすい文章を書くアドバイスをくれると述べた。では、日本語についてはどうか？

私の評価は否定的だ。私は、そもそも、ChatGPTが書く日本語の文章は、あまり質が高くないと思う。

内容が平板なのに、もって回った表現をする。陳腐で月並みな常套句《じょうとうく》の乱用。断定せずに責任逃れしようとする。格調の高い文章などは、望むべくもない。

とくに文語体の場合、「耐えられない臭い」としか表現できない印象を持つことが多い。これは、ChatGPTが学習した文章がそうした臭気を放っており、それを引き継いでいるからだろう。だから、対処のしようがない。ただ、私にはどうしても受け入れられない。

私は、文章の校正をしばしばChatGPTに頼んでいる。音声入力の変換ミスを直してもらっているのだ。変換ミスは見事に直すが、それ以上に文章を修正されて、改悪されたと感じる場合がある。「勝手に直すな！」と怒鳴りたくなる。

分かりやすい文章を書くアドバイスは不十分

文章については好き嫌いがある。前項の私の評価は、多分に私の個人的な好き嫌いに影響されている。

では、そうした問題とは別に、正しい構文の分かりやすい文章を書くために、ChatGPTは適切なアドバイスをくれるだろうか？　残念ながら、必ずしもそうではない。例を示そう。

『超「超」勉強法』においては、形容詞を連続していくつも並べると、意味が取りにくくなる場合があると述べた。いくとおりにも解釈できる文章として、「私は美しい華やかなドレスを着た女の子に会った」という例を挙げた（『超「超」勉強法』第4章の5）。

では、ChatGPTはこの問題を正しく把握できるだろうか？　それを調べるために、「この文章は、いくとおりに解釈できるか？」とChatGPTに尋ねてみた。案の定、その答えは不完全なものだった。可能な解釈をすべて挙げていないし、挙げた解釈のうち、２つは実質的には同じ内容だった。誤りを指摘するとすぐに訂正するのだが、また似たような誤りをする。

英語の形容詞の並べ方には規則がある

ところが、ChatGPTと前項の会話を続けているうちに、意外な収穫があった。

私が、前項で述べた類《たぐい》の曖昧さは英語ではあまり発生しないのではないかと指摘したところ、ChatGPTは、「英語の場合には形容詞の付け方に関して一定の順序がある」と指摘したのである。英語の形容詞は、つぎのような順に従って並べるというのだ。

1. 数量・数（Quantity or number）　例：three, ten, many
2. 品質・意見（Quality or opinion）　例：beautiful, delicious, ugly
3. サイズ（Size）　例：small, big, tall
4. 形・年齢（Shape or age）　例：round, old, young
5. 色（Color）　例：blue, red, green
6. 国籍・出身地（Nationality or origin）　例：American, Japanese, African
7. 材料（Material）　例：wooden, metal, cotton

8．目的・用途（Purpose）　例：sleeping (as in “sleeping bag”), cooking (as in “cooking pot”)

例文：“I bought a beautiful big blue Italian leather bag.” “She has a cute little black cat.”

〈この順序は、英語のネイティブスピーカーにとっては直感的であり、この順序に従わない場合、文が自然でないと感じられることが多いです〉とChatGPTは言う。

私は、実はこのルールを知らなかった。また、英語の授業でこのルールを教えてもらった記憶もない。ただし、“a big white mountain”のように、自然にこのルールに従っていた。多くの文章を丸暗記したので、自然に身についたのだろう。なお、この類のルールは、丸暗記法によらない限り、習得できないだろう。右のルールを機械的に覚えて実際の文章に適用しようと思っても、無理だ。

ChatGPTと対話をしていると、このように、思いがけずに新しいことを知ることができる。これも大きな魅力の一つだ。

5 頭が痛い文語体・口語体変換問題

多くの人が悩んでいる文語体・口語体問題

日本語の文章には、文語体のものと口語体のものがある。私は、文語体と口語体の問題にこれまで悩まされてきた。

私は、ウェブ媒体などに発表した記事をまとめて、書籍の形で出版することが多い。書籍には文語体のものと口語体のものがあるが、従来はほとんどが文語体だったので、ウェブなどでの連載も文語体だった。しかし、口語体にしてほしいという要望が増えたため、あるとき、連載の文体を口語体に変更した。

ところが、文語体と口語体の書き換えが非常に煩雑な仕事になり、悪夢のような状態になってしまった。

文語体と口語体の書き分けは、私だけではなく、多くの人が悩んでいる問題だと思う。例えば、会社で、会議では口語で話しているが、会議録にまとめるときに、これを文語体に直す必要があるというような場合も多いのではないだろうか?

文語体と口語体の書き換えは機械的なものだが、かなり面倒な作業だ。実は、ChatGPTでこの変換ができることを見出し、やっとこの問題も解決したと思ったのだが、後述するように、実際にはそれほど簡単ではなく、ChatGPTに任せてもかなり面倒な作業になることが分かった。

これまでは一括変換で対処していた

つぎの4つの文章を考えてみよう。

A:吾輩は文章を書いておる。
B:私は文章を書いている。
C:私は文章を書いています。
D:僕は文章書いてるよ。

通常、文語体と口語体の区別というのは、BとCの区別だ。

この書き換えに、私はこれまで一括変換で対処していた。例えば、BからCへの変換であれば、「だ」を「です」に、「いる」を「います」に、などの一括変換を行なう。

あらかじめ変換表を作っておき、どんな文章にも一律にそれを適用する。30個ぐらいの言葉を変換すれば、かなりの程度まで対処できる。

もちろん、これだけでは変換漏れが残る。あるいは、変換した部分が他の部分とうまく接続しない場合もある。それらは、個別に手作業で修正しなければならない。文語体と口語体の変換は、一括変換のような機械的な操作で対処しきれない問題なのだ。

ChatGPTの動作も完全ではない

これは、文章の内容とは関係がない機械的な作業だ。しかも、知的付加価値はゼロである。

そこでChatGPTが現れたとき、私は真っ先にこの作業を依頼してみた。

「つぎの文章を口語体から文語体に書き直してください」と指示しただけで、かなり良好な結果が得られた。これは素晴らしい！

文語体・口語体の変換を自動的に行なってくれるアプリは、これまでほとんどないといってよい状況だったので、これは画期的なことだ。

最初は、単に「文語体に」、あるいは、「通常の論述文で用いられるような文語体に」「新聞の社説で用いられているような文語体に」などの指示を与えていた。ところが、しばらく使ってみると、場合によっては、これでは望む結果が得られないこともあると分かってきた。

それは、文語体には前項で示したAとBがあり、口語体にはCとDがあるからだ。

口語体の文章を示して、「文語体に直してほしい」と依頼すると、Aのような文語体を出力することがある。あまりに古めかしくて、腰を抜かしてしまう。あるいは、文語体の文章を示して「口語体に直してほしい」と依頼すると、Dのような文章になってしまう。あまりに馴れ馴れしくて、とても公開できるものではない。

「普通の文語体に」とか「普通の口語体に」と指示しても直らない。そこで、私は何度か、ChatGPTと言い争いをしたことがある。どうしても指示どおりにしてくれないので、「昔の文章ではなく、普通の新聞記事のような文章にしてほしい」と要請したところ、「文語体とは古文の文章だ」という答えが返ってきた。ChatGPTは、「文語体」を「古文の文章」と解釈する場合があるのだ（常にそうであるわけではないが）。

このように、ChatGPTに文語体と口語体の書き換えを依頼するのは、それほど簡単なことではない。

例を示すのが一番よい

以上の問題について何度も苦労した挙げ句、やっと正しい方向を見出した。それは、「文語」とか「口語」という用語を使って指示してはいけないということだ。あるいは、「常体」「敬体」という用語でもだめだ。右に述べたように、これらについてのChatGPTの理解は安定しておらず、われわれの意図とは異なっている場合がある。

抽象的に依頼するのではなく、「文末が、『です』『います』『します』となるような文章にしてください」と指示するほうが正確になる。つまり、私が以前使っていた変換表のようなものを見せて指示するのだ。変更を依頼する文章の冒頭にある表現から3つか4つ、例を示すとよいと思う。

これは、ChatGPTを駆動している大規模言語モデルである「トランスフォーマー」の仕組みからして、合理的な方法であると思う。プロンプトエンジニアリングの用語を用いれば、「ゼロショット・プロンプティング」（いきなり指示を与える方法）ではなく、「フューショット・プロンプティング」（例を示して、指示の内容を理解させる方法）になっているはずだからだ（第2章の7参照）。

ただ、この方法でやっても、完璧な答えが得られるとは限らない。時には、文章の途中で、文語体から口語体に突然転換するようなことも発生する。動作はかなり不安定だ。

ChatGPTの文章を、私は受け入れられない

しかも、問題は、以上で終わらない。文体の変更を依頼すると、文体だけでなく、文章そのものに手を入れてくる場合もあるのだ。文章を削除してしまったり、あるいは新しい文章を付け加えたりすることがある。私が書いたものとは印象が変わってしまって、迷惑きわまりない。本章の4で述べたように、私はChatGPT（とくに文語体の場合）の文章が持つ臭気に耐えられないので、結果を受け入れられないと思うことがある。

もう一つの問題は、あまりに長い文章は受け付けてくれないことだ。そこで、いくつかに分割して頼むことになる。すると、順序が分からなくなって、後で整理する際に混乱する。

こうしたわけで、文語体・口語体転換は、ChatGPTを使っても、なお悪夢のような状態にとどまっている。

文語体・口語体は日本語に特有の問題

文語体・口語体の問題は、他の言語にもある。英語にもあるし、他の言葉でも似た問題がある。しかし、日本語の場合とは違う。

英語でcolloquialというのは、前述の4つの文章ではCというよりはDであり、それは文章には普通は現れない。bookishというのは、「BではあるけれどもAに近い」という感じで

郵便はがき

おそれいりますが
63円切手を
お貼りください。

1028641

東京都千代田区平河町2-16-1
平河町森タワー13階

プレジデント社
書籍編集部 行

フリガナ		生年（西暦） 年	
氏　　名		男・女	歳
住　　所	〒 TEL　　　（　　　）		
メールアドレス			
職業または 学校名			

ご記入いただいた個人情報につきましては、アンケート集計、事務連絡や弊社サービスに関するお知らせに利用させていただきます。法令に基づく場合を除き、ご本人の同意を得ることなく他に利用または提供することはありません。個人情報の開示・訂正・削除等についてはお客様相談窓口までお問い合わせください。以上にご同意の上、ご送付ください。
＜お客様相談窓口＞経営企画本部 TEL03-3237-3731
株式会社プレジデント社　個人情報保護管理者　経営企画本部長

この度はご購読ありがとうございます。アンケートにご協力ください。

本のタイトル

●ご購入のきっかけは何ですか?(○をお付けください。複数回答可)

1 タイトル　2 著者　3 内容・テーマ　4 帯のコピー
5 デザイン　6 人の勧め　7 インターネット
8 新聞・雑誌の広告(紙・誌名　)
9 新聞・雑誌の書評や記事(紙・誌名　)
10 その他(　)

●本書を購入した書店をお教えください。

書店名／　(所在地　)

●本書のご感想やご意見をお聞かせください。

●最近面白かった本、あるいは座右の一冊があればお教えください。

●今後お読みになりたいテーマや著者など、自由にお書きください。

どうもありがとうございました。

あって、必ずしも古典語というわけではない。

そして、「標準的なスタイルの文体」というものがあり、それはBとCを一緒にしたようなものだ。この中でニュアンスの差はあるが、違いは連続的なものだ。つまり、書籍や論文を書く場合も口頭で話している場合も、同じような表現だ。この文体で書いていれば、どんな用途でもとくに問題はない。

それに対して、日本語の場合には、BとCの区別が画然としており、口頭でBのスタイルで話すことはありえない。また、一つの書籍の中にBとCが混在することは許されない。その意味で、日本語は特殊な言語体系になっていると考えることができる。

日本語のように正式な表現としてBとCの2つがあるのは、それだけ繊細な伝達が可能ということであり、ある意味では、優れた言語体系であると評価することもできる。

実際、自分の日記やメモでなく、他人に伝える文章の場合には、Cのタイプの文体でないとだめだという主張を持っている人もいる。そのような要請に応えられるという意味で、日本語は繊細な言語なのだ。しかし、それがこれまでに述べたような面倒な問題を引き起こしていることも事実だ。

このような問題があるので、本来は日本語の文語体・口語体の変換アプリが、もっと早い時点で開発されていなければならなかった。

ChatGPTは、この変換を初めて可能にした。それでも、日本語については完全には機能しない。これも、ChatGPTがアメリカ生まれだから生じる問題なのかもしれない。日本生まれの大規模言語モデルがこの問題を解決してくれることを期待したい。

6 初等的な論理の誤りをおかす場合がある

必要条件と十分条件の区別はできるが……

第6章で述べるように、ChatGPTは数学的な推論を間違えることがある。大規模言語モデルの構造上、数学のルールに従って思考を進めることができないからだ。では、形式論理はどうだろうか？

『超「超」勉強法』で、論理が重要であると述べた。[*注] とくに、必要条件と十分条件を区別することが重要だ。

では、ChatGPTは「逆命題は必ずしも真ならず」という、形式論理学の最も基本的なルー

＊注　『超「超」勉強法』第5章。

ルを理解するだろうか？　そして、必要条件と十分条件の区別ができるだろうか？

ChatGPTは、「逆は必ずしも真ならず」は、理解して正しく推論する。例えば、ChatGPTにつぎのように質問してみた。

「私はある本でつぎのように書きました。『語彙を増やすためには、大量の読書をしなければならない』。これに対して読者から『大量の読書をしたが、いっこうに語彙が増えない、あなたの言っていることは間違いではないか』との指摘がありました。私は書いたことが間違いだとして謝罪する必要があるでしょうか？」

これに対して、ChatGPTは、つぎのように答えた。

〈あなたの書いた文は「必要条件」としての大量の読書の重要性を強調していますが、「十分条件」としての大量の読書の効果を主張しているわけではありません。したがって、あなたの書いた文自体は間違っているとは言えません。しかし、読者の感じた誤解や不満に対して、文の意図や背景を説明し、必要に応じて文の表現や説明をより明確にすることは考慮すべきです〉

このように、論理的に正しく理解している。しかも、単に「間違っていないから謝る必要はない」と素っ気なく言うのではなく、「適切なコミュニケーションを取るほうがよい」とアドバイスをしている。こうした気配りができるとは、驚きだ。

逆命題と対偶命題を混同した

しかし、ChatGPTは、論理学的な推論で間違う場合もある。例を示そう。

「命題A：『語彙が豊富な人は、大量の読書をした人である』。この命題が正しいものと仮定します。ではつぎの命題は正しいでしょうか？　命題B：大量の読書をしていない人は、語彙が乏しい。」

この質問に対して、ChatGPTは誤った回答をした。命題Bは命題Aの逆命題であるとし、〈論理学の法則によって、必ずしも正しくない〉としたのである。そして、〈読書以外の方法で語彙を増やす方法はたくさん存在します。例えば、対話やディスカッションなど。したがって、大量の読書をしていないからといって、語彙が必ずしも乏しいわけではありません〉と説明した。論理的に混乱している。

そこで、「命題Bは命題Aの逆命題でなく、対偶命題だ」と指摘したところ、誤りを認めた。ところが、今度は、〈しかし、対偶命題が常に真であるとは限らないので、その真偽は元の命題の真偽とは独立して考える必要があります〉と言い出した。

そこで、「論理学の法則により、元の命題が正しければその対偶命題は必ず正しい」と指摘

したところ、誤りを認めた。[*注]

このように、ChatGPTは論理学の基礎概念を正確に理解せず、それらの概念を適切に使えない場合もある。この問題は、生成ＡＩの利用に関する文部科学省や大学などのガイドラインで十分に強調されていない。注意が必要だ。

なお、論理的な誤りは、日本語に限った問題ではない。どの国の言葉でも同じ問題が生じる。ここで述べた例を、日本語でなく英語でChatGPTに聞いても、同じ問題が生じるだろう。

ただ、日本人がChatGPTを外国語に用いるのは、翻訳や要約などのためだ。こうした用途の場合には、論理的誤りの問題は生じにくい。

＊注　逆命題、対偶命題などについては、『超「超」勉強法』第5章の1参照。

第5章のまとめ

1 ChatGPTは、国語の勉強の手助けになる。最も簡単な利用法は、誤字・脱字、用語の誤り、文法上の誤り、敬語の誤りなどを修正してもらうことだ。また、適切な表現などをChatGPTに教えてもらうことができる。日本語にはよい類語辞典がないので、これはたいへん便利な使い方だ。

2 例や比喩で「グラウンド」させると、説得力が増す。例や比喩の候補をChatGPTに示してもらうとよい。

3 日本語において敬語は重要な意味を持っているが、使い方が難しい。ChatGPTに敬語の使い方を教えてもらうことができる。ただし、敬語には、ルールがないとしか思えない場合もある。

4 ChatGPTは、日本語の文章について、正しい構文の分かりやすい文章を書くためのアドバイスをくれるか？　私の評価は否定的だ。そもそも、ChatGPTが書く日本語の文章は、あまり質が高くない。

5 文語体と口語体の変換は、日本語に特有のものであり、厄介な問題だ。ChatGPTは、これを自動的に処理できる初めての手段となった。しかし、動作は完全ではない。

6 ChatGPTは、論理的に正しい推論ができる場合もあるが、逆命題と対偶命題を混同するなど、論理学の初等的な誤りをおかす場合もある。十分な注意が必要だ。

第6章

ChatGPTは数学に弱い

1 ChatGPTが連発した数々の奇妙な間違い

ChatGPTは、実は数学が得意でない

多くの人は、数学は厳密で明確なルールに基づいた理論体系であるため、コンピュータが誤るはずがないと考える。「歴史上の事項や世界の地名については誤ることもあるだろうが、数学に関しては確かだ」と思っている人が多いだろう。数学は、ChatGPTが最も得意な分野であるように思えるのだ。

第2章の3で述べたように、実際、ChatGPTの学習での利用に関するアンケート調査を見ると、数学の勉強での利用が最も多い。これは右のような考えが一般的であることを示している。

しかし、現実の状況は、こうした考えとは大きく異なる。ChatGPTの数学の能力はかなり低く、計算でも、証明でも、定理の応用でも、頻繁に間違うのだ。

計算を間違える

ChatGPTは、四則演算はできる。ただし、非常に大きな数だと間違えることもある。それどころか、27を素数だと言ったこともある（そうかと思うと、大きな数の素因数分解を正確にやってみせたりする）。分数の計算もできるし、二次方程式を解くこともできる。しかし、連立一次方程式で誤ったことがある。

もう少し複雑な問題はどうか？「ツルカメ算」という算数の問題がある。これは、『超「超」勉強法』（第1章）で取り上げたものだ。「ツルカメ算を解く方法を教えてください」と尋ねたところ、ツルとカメの合計が8匹、脚の数の合計が26本という例を出して、解き方を示した（このときは、ChatGPTでなく、マイクロソフトの対話型AIを搭載した検索エンジンであるBingに尋ねた）。しかし、ツルは5・5匹、カメは2・5匹という奇妙な答えを出したのだ！

これに対して、「ツル、カメの数は整数でなければならない」と指摘したところ、誤りを認めた。しかし、〈先に示した数値例は解けない問題であり、解くためには、脚の数が2または4で割り切れなければならない〉とした（これも奇妙な条件だ）。それに対して私は、「先の問題での脚の数の合計26本は2で割り切れるので、条件を満たしている」と指摘した。ところが、〈26は4で割り切れない〉と言う。私は、「示された条件は『2または4』なのだから、2で割り切れればよい」と指摘する。しかし、Bingは〈26は4で割り切れない〉と繰り返し主張して、対話は中止された。

連立方程式を解けない

生成AIは連立一次方程式といったごく基本的な問題を解けない。途中で計算違いをしているのだ。Bingと行なった実際の交信記録を以下に示そう。

NOGUCHI　つぎの連立方程式を解いてください。

$x+y=6$

$2x+y=2$

Bing　この連立方程式の解は、$x=2$、$y=4$です。解き方は以下のとおりです。

まず、第二方程式をxについて解くと、$x=(2-y)/2$となります。

つぎに、この式を第一方程式に代入すると、$y+2(2-y)/2=6$となります。

これを整理すると、$y-y+4=6$となります（ここで間違っている）。よって、$y=4$となります。

最後に、この値をxの式に代入すると、$x=(2-4)/2$となります。よって、$x=-1$となります。

以上で解が求められました。

NOGUCHI　あなたの答えは間違っています。

Bing　すみません、私の計算ミスでした。正しい答えは、$x=2$、$y=4$です。解き方は以下のとおりです。

まず、第二方程式をyについて解くと、$y=2-2x$となります。つぎに、この式を第一方程式に代入すると、$x+(2-2x)=6$となります。これを整理すると、$3x-4=0$となります（ここで間違っている）。よって、$x=4/3$となります。

最後に、この値をyの式に代入すると、$y=2-(8/3)$となります。よって、$y=-2/3$となります。以上で解が求まりました。ご指摘ありがとうございます。

NOGUCHI　あなたの答えはまだ間違っています。

Bing　申し訳ありませんが、この会話を続けることはできません。私はまだ学習中なので、ご理解とご協力をお願いします。

NOGUCHI（独白）　ご協力と言うが、間違った答えに加担せよということだろうか……？

円周率についての東大入試問題で珍妙な答え

もう一つ例を挙げよう。２００３年の東京大学の入試で、「円周率πが3・05よりも大きな数字であることを証明せよ」という問題が出題された。これは、その後、様々なところで話題になった有名な問題だ。この問題をChatGPTに出したところ、つぎのような驚くべき答えが出てきた。

〈円周率は、３・１４……であることが分かっています。したがって、円周率は3・05より大きいことが証明されました〉

開いた口が塞がらない（もっとも、純粋に論理学の問題として考えると、この答えが間違いだとはいえない。東大の入学試験でこの答えを書いたら、何点取れるだろうか？）。

この問題は、円に内接する正多角形の辺の長さを計算することによって解くことができる（アルキメデスの方法）。そこで、この方法で証明せよ、と指示した。

ChatGPTは、さっそく正六角形を用いて計算を始めた。ところが、計算の過程で直径と半径を取り違えるという単純なミスをおかした。それにもかかわらず、その後に強引な（間違っている）論理を展開して、問題を証明したと主張した。人間であれば、すぐに気がつくような単純なミスだ。

この誤りを指摘し、正十二角形でやれば答えが得られると誘導したところ、正しい答えを出した。したがって、ChatGPTがこの問題を解けないわけではない。しかし、誘導しない限り、まったく不十分な答えだった。

ピタゴラスの定理の証明もできない

ピタゴラスの定理とは、「直角三角形の長辺の二乗は、他の二辺の二乗の和に等しい」というものだ。その証明は、実に簡単だ。

大きな正方形の内部を分割して、4つの直角三角形と1つの小さな正方形にし、面積を計算すれば、すぐに証明できる（この証明は、ウェブを検索すればいくらでも出てくるので、それらを参照されたい）。

ところが、ChatGPTにピタゴラスの定理の証明をしてほしいと頼むと、実に奇怪な回答が返ってくる。正方形の内部を分割するところまではいいのだが、その後の面積の比較の計算がまったくのデタラメ。意味を捉えようと何度も読み直すと、こちらの頭がおかしくなってくる。

それにもかかわらず、最後には堂々と、〈証明ができました〉と言う。間違いを指摘すると、

〈申し訳ありませんでした。誤りがありました〉と言って、計算をやり直す。しかし、何回やっても正しい計算ができない。そして、最後にはまた、〈証明ができました〉と言う。

ただし、常に誤るのでもない。何度か試みると、正しい答えが出る場合もある。私は何度も試みたので、最近では、ピタゴラスの定理やアルキメデスの方法による証明を、正しく出すようになった（ただし、私はプラグインWolframを用いて答えを得ている。GPT-3.5の場合には、正確な答えは出てこないかもしれない）。

なお、ChatGPTは、数学的推論だけでなく、形式論理も間違える。これについては、第5章の6で述べたが、もう一つの例を第7章の2で述べる。

2 ChatGPTは数学的思考をできるのか?

ChatGPTの基本的な仕組みに起因する問題

本章の1で述べた問題は、ChatGPTの基本的な思考法と関連している。ピタゴラスの定理の証明についていえば、ChatGPTの思考回路はつぎのようなものと推測される。

まず、「ピタゴラスの定理」「証明」というキーワードに注目する。そして、その言葉に関連した事項を過去の学習記録の中から探し出す。

それをそのままコピーして出力してしまえば、正確な答えになるのだが、ChatGPTの出力メカニズムは、まとまった文章を一括して出力するようにはなっておらず、「まず何らかの単語を出力し、つぎに来る単語を確率判断で選ぶ」ということになっている。こうして文章を組み立てていくので、本章の1で述べたようなデタラメな結果が出てくることになるのだろう。

この点を確かめるために、ChatGPTに対して、「ChatGPTは、ピタゴラスの定理を正しく証明できません。これは、数学的思考ができないことの証拠ではないですか?」と質問したところ、ChatGPTは、〈おっしゃるとおり、ChatGPTはピタゴラスの定理の証明などの基本的な数学的内容を正しく提供できない場合があります〉と答えた。そして、その要因として、つぎの3点を挙げた。

1. 訓練データに不足や誤りがある場合、それが反映されることがある。
2. 質問の文脈や意図を誤解する場合がある。
3. 生成モデルの限界:最も確率的に正しいと判断される回答を生成するが、それが常に正確であるとは限らない。

ピタゴラスの定理が訓練データに入っていないことはありえないから、1は、今回の場合には該当しない。また、「ピタゴラスの定理を証明せよ」という指示は、誤解のしようがないものだから、2も該当しない。

結局、原因は3ということになる。つまり、ピタゴラスの定理の証明で間違えるのは、生成AIの基本的なメカニズムによるのだ。[注1] これが右に指摘した点(確率判断による出力生成)だ。

オープンＡＩの秘密プロジェクトQ★は、ChatGPTの数学力を高めるか？

数学的能力が低いことは、ChatGPTの利用に対して大きな制約条件になる。そこで、これを改善するための様々な研究がなされている。

ChatGPTの開発元であるオープンＡＩは、Q★（キュー・スター）という秘密プロジェクトを進めていたと報道された。２０２３年11月に起きたオープンＡＩの最高経営責任者サム・アルトマン氏の唐突な解任と復帰騒動の背後には、このプロジェクトに対する社内での意見の対立があったと報道されている。[注2]

Q★の詳細は明らかにされていないのだが、これに成功すれば、ChatGPTの数学処理能力が飛躍的に高まるともいわれている。仮にそうしたことが実現すれば、数学の勉強法にも大きな影響を与えることになるだろう。ただし、現時点においては、ChatGPTの数学処理能力は低いという制約条件の中で、その利用を考えざるをえない。

注１　この詳細は、『生成ＡＩ革命』第６章を参照。
注２　「『万能ＡＩ』進む研究開発」、日本経済新聞、２０２３年12月１日朝刊。

3

依然として正しい「数学は暗記だ」

数学的推論を正しく進められない

以上を考慮した場合に、算数や数学の勉強をどのように進めたらよいかという問題を考えよう。そのため、『超「超」勉強法』（第1章の1）で用いた例をもう一度用いることにする。

小学校の算数で、分数の計算を習う。その中に、分数の割り算の問題がある。これを解くには、除数（割る数）の分母と分子を入れ替え、分母同士、分子同士を掛け合わせる。

では、なぜこの方法が正しいのか？　考え出すと、これは、かなり難しい問題だ。

ChatGPTに聞くと、聞くたびに答えが変わる。そして、どれも適切で分かりやすい説明とはいえない。あるいは、間違っている場合もある。これは、一見するより難しい問題なのだ。

Googleの Bardが数学の能力が高いといわれるので確かめてみたが、似たような結果だ。**数学的推論を正しく進めることができないのは、大規模言語モデルの共通の問題**であると思われる。

原理が分からなくとも、訓練で正しく計算できればよい

前項で述べた分数計算の原理を仮に完全に理解できたとしても、それで格別何かの役に立つわけではない。専門の数学者でなければ、原理を厳密に正確に理解するよりは、計算で正しい答えを出せることのほうがずっと重要だ。

そこで、私のアドバイスは、「数学の法則は、仮に原理を理解できなくとも受け入れて暗記し、練習問題を解くほうがよい」というものだ。

つまり、「練習問題を解く訓練に専念せよ」ということだ。あるいは、ゲーテが言ったように、"Übung.Übung.Übung. Übung macht den Meister."（訓練、訓練、訓練。訓練こそが巨匠を作る）。

これは、「数学は暗記だ」と表現することもできる。『超「超」勉強法』で「数学は暗記だ」と言ったのだが、このことは、ChatGPT の時代になっても変わらない。

数学は暗記だ

ここで、『超「超」勉強法』で述べた数学の勉強法をもう一度繰り返すと、つぎのとおりだ。

第1に、分数の問題に限らず、解き方を理解できなくても、解き方を暗記して計算の訓練をするほうがよい。

数学の問題の解き方は、自分で考え出さなくてもよい。解き方を知り、それを暗記し、どのように適用するかという訓練をすればよい。要するに、数学は暗記だ。

「数学は理解であり、理解しないと先に進んではいけない」という観念に縛られると、先に進めなくなる。

第2に、できるだけ早く進む。先に進めば、それまでのことはよく理解できるようになる。

例えばツルカメ算に拘泥《こうでい》するのではなく、連立方程式を勉強したほうがよい。それを用いれば、ツルカメ算は簡単に解ける。ツルカメ算が理解できても発展可能性はないが、連立方程式は、ツルカメ算以外にも多くの応用対象がある。

人間の教師の役割が重要

以上を考えると、ChatGPT の使い方は、すべての教科の中で、数学が最も難しいことが分かる。

算数・数学に関しては、学校の授業で教えるという現在の教育方式は、あまり変わらない形で、今後も続くことになるだろう。そこにおける人間の教師の役割も、現在と同じように重要なものであり続けるだろう。

ただし、このことは、ChatGPTが数学の勉強にまったく役立たないということを意味するものではない。また、数学を独学で勉強することが不可能だということにもならない。

以下では、数学の勉強に関してChatGPTがどのような意味を持つかを考えることとしよう。

4

数学を勉強するヘリコプターとして使う

数学の定理の使い途を教えてもらう

数学の勉強において、ChatGPT の出番はまったくないのか？　そんなことはない。第1は、数学や、定理や理論の使い途《みち》、つまり、どのように実世界の問題に応用できるのかを教えてもらうことだ。例を挙げよう。

ピタゴラスの定理は、正確な直角を作るために利用されてきたことを、ChatGPT は教えてくれた。3：4：5の長さの紐《ひも》を使えば、正確な直角ができるからだ。このため、農夫が土地を正確に直角に区切ったり、建築家や大工が建物や構造物が正確な角度で建てられているかを確認したりするために、ピタゴラスの定理を利用してきた。とくに、大きな建物や橋の建設時には、この定理が正確な計測のための重要なツールとして利用されてきた。

もう一つの例を挙げよう。数学に線形代数学という分野がある。ベクトルや行列などを扱う。

教科書を見ると、見慣れない形の数式が並んでいて、いかにも難しそうだ。これを勉強する必要があるのかどうか、迷っているとしよう。あるいは、勉強を始めたものの、いっこうに興味が湧かず、勉強する意欲を失いかけたとしよう。

こうした場合にやるべきは、ChatGPTに、「線形代数学にはどのような使い途があるのですか？」と聞いてみることだ。ChatGPTは、直ちにいくつかの分野での応用例を示してくれる。

その中に、経済学の分野での応用としてＩＯ分析（Input-Output Analysis）の例がある。技術係数行列を用いて、最終需要が変化したときに、各産業の生産量がどのように変化するかを計算できるという。そういえば、経済関係の文献の中にＩＯ分析という言葉が出てきたことを思い出す。こうしたことに使えると分かれば、線形代数学の勉強は面白いものだと知ることができるだろう。そして、勉強する意欲が出てくる。

ところが普通の線形代数学の教科書には、それをどのような用途に使えるのかという説明はない。最初に出てくるのは、ベクトルと行列の定義。それらの間の演算法則などだ。

これだけでは、興味が湧かない。何のためにこうした勉強を行なっているのか、分からない。だから興味を失ってしまう。

『超「超」勉強法』で提案したのは、できるだけ早く先に進むことだ。そうすると、全体の俯《ふ》瞰《かん》ができる。何のために勉強するのかが理解できて、興味が湧く。

これら以外にも、経済学で線形代数学が必要な場合は多い。とくに統計学ではそうだ。ファイナンス理論でも、最先端の理論を理解するためには、ベクトルや行列の演算が不可欠だ。

以上では、経済学での利用法を述べた。では、線形代数学は、文系の分野でしか必要ないのか？　そんなことはない。

ChatGPTのリストの中には、〈量子力学や相対性理論などの物理学の分野では、行列の演算が中心的な役割を果たす〉と書いてある。したがって、理系を専門とする場合にも、線形代数学の知識が不可欠であることが分かる。

コンピュータサイエンスでもそうだ。大規模言語モデルの論文を読めば、ベクトルという概念とその演算が必ず出てくる。これらを理解できなければ、大規模言語モデルの仕組みを理解することはできない。

微分積分法はどんなことの役に立つのか？

数学にはこのような例が多い。

もう一つの例を挙げれば、微分積分学（解析学）だ。

微分積分法が物理学の理解のために本質的な役割を果たすことはよく認識されている。だから、理系の学部では、微分積分学は十分に教育される。ただし問題は、その勉強に意欲が湧くかどうかだ。

これも普通の勉強法だと、連続性、微分可能性などの議論から始まって、微分法、その公式、積分法、その公式等々へと進む。基礎概念の議論から始まって一歩ずつ進む勉強をしていると、何のためにこれらを勉強するのかが分からず、途中で興味を失ってしまう。

ところが、微分積分法をどんな用途に使えるかが分かれば、それが面白いことであると分かる。そして、勉強する意欲が湧いてくる。

確率論や統計学もそうだ。これらがどのようにデータ分析に使われるかを知れば、興味が湧くだろう。

英語も数学も国語も、普通の人の場合、それら自体を極めるというよりは、何かのための道具として使うという側面が強い。したがって、それを勉強するとどのような効用があるか知ることが重要なのだ。

英語や国語については、とくに調べなくてもそれらは明らかな場合が多い。しかし、数学の場合には、何に使えるのかが必ずしもはっきりしない。このため勉強の意欲が湧かない、という場合が多い。ChatGPTは、これに対して、たいへん有益な情報を提供してくれる。

勉強の道程を知る

ChatGPTは、つぎのようなことも教えてくれる。

・おおよそどんなことを勉強するのか?
・学習指導要領に基づいて数学の勉強を進めていった場合、どの段階でどんなことを習得するのか? 例えば、どの段階で連立方程式を学び、どの段階で微分積分法を習得するのか?
・ある目的水準に達するためには、どの程度の勉強が必要なのか?

こうした情報が得られれば、いま勉強しているのがどの段階であるかを認識し、そのことの意味を、より高度の学習と関連づけて理解することができるだろう。

ChatGPTというヘリコプターで展望が開ける

『超「超」勉強法』では、以上のことを、**「ヘリコプター勉強法」**という言葉で述べた。

山の裾野を歩いているときには視界が開けないので、あまり楽しくない。しかし稜線に出れば、一気に展望が開けて下界がよく見える。そして登山が楽しいものになる。

勉強もそれと同じだ。視界が開けて、いまどこにいるのかが分かれば、勉強は楽しいものになる。数学の場合には、これがとくに重要な意味を持つ。

その場合、一歩一歩登っていくのではなくて、ヘリコプターに助けてもらって、一気に高いところに行っても構わないというのが、「ヘリコプター勉強法」だ。

これまでは、ヘリコプター勉強法を行なおうとしても、そのための道具、つまりヘリコプターを、簡単には入手できなかった。第1章で述べたように、ChatGPTはこの役割を果たしてくれるのだ。

この方法の有効性は、数学に限らず、あらゆる勉強についていえる。数学の場合には、内容が抽象的なので、これがとくに重要な役割を果たすのだ。

独学のカリキュラムを作るのに有効

学業課程を終えてから後、何らかの理由で数学を勉強しなければならない場合があるだろう。

例えば、統計学は、多くの人が学生時代に十分に勉強していない。ところが、実務に就くと重要になることがある。この場合、独学が必要になる。

あるいは、できるだけ早く先に進むために自分で勉強する場合、何を勉強したらよいか？

外国語や簿記などについては様々な専門学校があるので、それを利用することも考えられる。

しかし、統計学については、なかなかそのようなものがない。だから、学校に行くよりも自分で勉強したほうがよい場合が多い。

こうした場合、問題になるのはカリキュラムの作成だ。それをChatGPTに手助けしてもらえる。

第6章のまとめ

1　一般の印象とは異なり、ChatGPTの数学能力は低い。計算を間違えることもあるし、定理の証明や応用、数学的推論などで、しばしば誤りをおかす。

2　ChatGPTの数学能力が低いのは、生成AIの基本的なメカニズムによる。

3　『超「超」勉強法』で述べた「数学は暗記だ」という考えは、ChatGPTの時代になっても依然として正しい。つまり、原理が分からなくとも、訓練を続け、計算を正しくできるようにするのがよい。

4　ChatGPTの数学能力は低いが、それを数学の勉強に使うことは可能だ。例えば、数学のある分野を勉強することが、どんな意味を持っているのかを知ることができる。また、目的水準に達するためにはどの程度の勉強が必要か、いま勉強して

いるのがどの段階であるかを認識し、より高度の学習と関連づけて理解すること
などに利用できる。

第7章

世界は不思議で一杯
興味が尽きない
歴史と物理の勉強

1 「?」とストーリーで、歴史を勉強する

ChatGPTで歴史を勉強すれば、知りたいことが分かる

歴史の勉強は面白く、楽しいものだ。しかし、学校の歴史の勉強では、多くの地名や人名などを覚えなければならないため、退屈だと感じる人がいるかもしれない。

私も、学生のときは、歴史の勉強が面白いとは思えなかった。また、私は高校で日本史を選択して世界史を学ばなかったため、歴史の知識が欠けていると自覚していた。

社会人になってから様々な機会に世界史を独学で勉強したのだが、書籍を読んで勉強する方法だったので、知りたいことがなかなか分からず、長年疑問に思っていたことがいくつもあった。

ChatGPTを使うようになってから、こうした疑問に対する答えが直ちに得られ、歴史の勉強が本当に面白いと感じるようになった。

人物世界史を自分で作る

歴史上の特定のテーマについて、ChatGPTに聞きながら物語を組み立てていくと、楽しくて、やみつきになってしまう。これまでなかった歴史物語を自分で作っていくことになるからだ。しかも、自分の知りたいこと、興味があることを中心にして組み立てられるので、飽きることがない。

その場合、特定の人物の歴史を追うのが一番面白い。

例えば、シーザー、オクタビアヌス、クレオパトラあたりから始めてみる。

そして、エリザベスI世。背景にあるのは、宗教戦争とスペインとの抗争だ。スペインの大艦隊が押し寄せてくる。あなたがエリザベスであったとして、この難局にどう対処するか？

あるいは、モーツァルトの演奏旅行に同行してみる。宮殿の中にいるのはどんな人々かと、その名前をChatGPTに教えてもらって、観察する。

ナポレオンの一生を追いかけてみる。その生い立ちから出世の過程、そしてロシア遠征。面白いと思ったところを、詳しく聞く。

文学作品の背景になっている歴史を知る

もう一つの方法は、文学作品について、物語の背景になっている歴史的事実を知ることだ。

これもたいへん楽しい。映画でもよい。

・『三国志』の背景になっている中国の三国時代の歴史を知る。
・シーザーの『ガリア戦記』を理解するため、ガリアとケルトについて学ぶ。
・シェイクスピアの『アントニーとクレオパトラ』との関係で、共和政ローマの内紛とエジプトとの戦争の背景を知る。
・シュテファン・ツヴァイクの『人類の星の時間』に描かれている様々なエピソードの背景にある歴史的事実を知る。
・ツヴァイクの『マゼラン』を読んで、大航海時代のヨーロッパを知る。
・ツヴァイクの『メリー・スチュアート』を読んで、エリザベスI世の時代を知る。
・ツヴァイクの『マリー・アントワネット』を読んで、フランス革命の時代を知る。
・ジャレド・ダイアモンドの『銃・病原菌・鉄』に描かれている新大陸侵攻の歴史的背景を調べる。
・トルストイの『戦争と平和』に描かれているアウステルリッツの戦いや、ボロジノ会戦の様子を調べる。
・フランス革命に関連した物語はたくさんあるので、様々な事件を調べる。

このようにして、歴史の勉強がたいへん興味深いものになる。これまで断片的に知っていた出来事同士がつながり、まるでジグソーパズルの解《かい》ができたときのような快感を覚える。歴史に限らず他の勉強においても同じことがいえるのだが、歴史の場合はとくにそうだ。

クレオパトラのエジプトはアフリカ人が作った国か?

ChatGPTに聞いて知ったいくつかの例を、以下に示そう。

私は、アフリカ北海岸にある国々がどのようにして成立したのかを、これまでよく知らなかった。

カルタゴがフェニキア人が作った植民地であることは知っていた。また、クレオパトラの時代のエジプト（プトレマイオス王朝）は、ヨーロッパの民族が作った国らしいことも知っていた（正確には、アレクサンドロス大王の部下が作った王朝。だから、ギリシャ人が作った国）。映画で、エリザベス・テイラーがクレオパトラを演じていたことを見ても、アフリカ先住民の王朝でないことは明らかだ。

しかし、その他の王朝については、よく知らなかった。プトレマイオス王朝以前、ピラミッドを作った王朝はどうだったのか？　アフリカ先住民が作った国なのか？

このような基本的なことを知らなかったのだが、歴史の本では、こうした疑問に対してすぐに答えを得ることができない。

ウェブで調べればすぐ分かるような気がするが、そうでもない。例えば、ウィキペディアで「アフリカ史」という項目を開いてみると、長々と書いてあるが、知りたいことがどこに書いてあるのか（あるいは書かれていないのか）、すぐには分からない。

ところが、ChatGPTに聞いたところ、右の質問の答えがすぐに分かった。

ガリアとケルトは同じものなのか？

もう一つ混乱してよく分からなかったのは、ガリアとケルトの区別だ。これも、ChatGPTがつぎの質問に簡潔に答えてくれたので、すぐに分かった。

・『ガリア戦記』にあるガリアとは、現代のフランスのあたりですか？
・現在のフランス人は、ガリア人の子孫ですか？
・ケルト語は、現在のアイルランド語ですか？　スコットランド語は？
・ガリアとケルトは同じですか？　ガリアは地理的な概念で、ケルトは民族的、または言語的な概念であるように思うのですが、正しいですか？

ゲーテが過ごしたワイマール公国とは何か?

ゲーテは著名な文学者だが、それだけでなく、自然科学者でもあり、また政治家でもあった。私が興味を持っているのは、政治家としてのゲーテの側面だ。

ゲーテが政治家としてどの程度重要な人物だったかを知るには、「公国」について理解する必要がある。しかし、「公国」というのは理解しにくい概念だ。これは神聖ローマ帝国を形成する要素であり、複雑な仕組みだからだ。

これを理解するために、ChatGPTにつぎのような質問をしてみた。これによって、神聖ローマ帝国やワイマール公国について、ずいぶんいろいろなことが分かった。

- 神聖ローマ帝国はどのような仕組みですか?
- 神聖ローマ帝国には、各地方に公国がありますが、これはどのような仕組みですか?
- 選帝侯は、何人くらいいたのですか?
- 公国はいくつくらいあったのですか?
- ゲーテがいたワイマールは公国ですか?
- ゲーテはワイマール公国の高官ですか?

ウクライナ戦争やパレスチナ紛争の歴史的背景を知る

以上で述べたのは歴史そのものだが、現代社会の様々な問題を理解するために、その背後にある歴史を知るべき場合も多い。

例えば、ロシアとウクライナだ。これらは、同じ国の中の地方の違いのように思っていたのだが、戦争がいつになっても終わらないことを見ると、歴史的にも対立があったのだろうか？この両国の複雑で分かりにくい関係は、歴史の教科書や書籍でもあまり詳しく解説されていない。ところが、ChatGPTがこれらの問題に明確に答えてくれた。例えば、クリミア半島の帰属。ここは、もともとロシア共和国の一部だったのが、1954年にロシアからウクライナに行政的に移管されたなど、それまでよく知らなかったことを知った。

パレスチナ紛争の歴史的背景も複雑きわまりない。ChatGPTに尋ねたところ、ローマ帝国によるディアスポラ（離散）によって、すべてのユダヤ人がパレスチナ地域から追われたわけではないことを知った。また、1948年のイスラエル建国当時、すでに65万4000人のユダヤ人がパレスチナに住んでいたことも知った。

パレスチナ問題は、第二次世界大戦後のイスラエル建国によって始まったものではなく、2000年の長い歴史の中で、連綿と続いてきたものであることがよく理解できた。

2

ChatGPTで経済の勉強ができるか?

ChatGPTで得られるデータは信頼できない

経済の動きを理解するために、ChatGPTに教えてもらうことは有効だろうか?

まずデータの問題がある。経済の議論をするにはデータが重要だ。しかし、多くの場合に、それらは簡単に手に入るわけではない。

どのようなデータを見たらよいのか、分からない場合もある。また、それがどこの統計に入っているかが分からない場合もある。それらが分かっても、たくさんある統計表のどこに求めるデータがあるか、分からない。[*注] これらがすべて分かっても、統計サイトからいちいちデー

＊注　この問題に対処するため、私は、noteに、「『使える日本経済データ』ナビゲーション」というリンク集を作った（このタイトルをキーワードにして検索すれば、閲覧できる）。

タを取り出すのは面倒な作業だ。

そこで、ChatGPTに統計的なデータについて尋ねてみる。すると、直ちに答えを出してくれる。しかも、増加率だけなど、知りたい形で答えを出してくれるので、たいへん便利だ。

多くの人は、これを見ると、まさに夢の機械が現れたと感じるだろう。これで、データを探し出すという面倒な作業から解放されたと思うだろう。私も最初は、そのように期待した。

ところが、そうではないことがすぐに分かった。なぜなら、ChatGPTが出す数字は、まず信用できないからだ。しかも、まったくかけ離れた数字ではなく、近い数字を出してくる場合が多いので、正しいかどうかの見分けがつかない。うっかり使ったら、とんでもない事態になる。

基本概念も間違える（その1）：「円キャリー取引」とは？

統計データだけではない。基本的な概念についても、ChatGPTは誤解している場合が多い。とくに金融関係など、専門的で複雑なものについてのChatGPTの理解は十分でない。

例えば、「円キャリー取引」というものがある。低金利の通貨である円で資金を調達して、高金利通貨であるドルで運用する取引だ。これは、円安の原因となる。ところがChatGPTに尋ねると、つぎのような答えが返ってきた。

〈低金利の国の通貨を借りて、高金利の国の通貨で資産を購入する投資戦略を「キャリートレード」といいます。日本は長い間、低金利の国であり続けたため、多くの投資家が円を借りて他の国の高金利の資産を購入してきました。しかし、アメリカの金利が上昇すると、このキャリートレードの魅力が低下し、投資家は円のポジションを解消することが増えるため、円の需要が減少して円安が進む可能性があります〉

最初の2つの文は正しい。しかし、3つ目の文は逆だ。アメリカの金利が上昇すれば、運用利回りが上昇するので、円キャリー取引の魅力は、低下するのではなく、高まる。したがって円を借り入れて、それを売ることが増える。そのため、円安になるのだ。

ところが、ChatGPTは、その逆の動きが生じるとし、しかし、最後には強引に〈円安になる〉と結論づけた。このように、ChatGPTは途中の論理を間違えて、最後だけ所定の結論にするということをよくやるのだが、これもその一例だ。

円キャリー取引は、円安の主要な原因になっているので、重要な概念だ。だから、その意味はウェブを少し調べれば、すぐ分かる。ChatGPTは大量の事前学習をしたというのだが、どうしてこのような基本的な事項を知らないのか？　不思議なことだ。

基本概念も間違える（その2）：「自然利子率」とは？

もう一つ、自然利子率についてのChatGPTの説明は、つぎのとおりだった。

〈自然利子率（または中立利子率、天然利子率とも呼ばれる）は、中央銀行の政策金利や市場金利とは独立した、理論上の利子率のことを指します。自然利子率は、実質GDPが潜在的なGDPと一致し、インフレ率が目標値（または中立的な値）に安定している状態での利子率として定義されます〉

ここまではいい（ただし、天然利子率とは奇妙な言葉だ。こんな言葉は聞いたことがない）。しかし、つぎがおかしい。

〈実際の金利が自然利子率よりも高い場合、それは経済が過熱しており、インフレが加速する可能性があることを示しています。逆に、実際の金利が自然利子率よりも低い場合、経済が過小評価され、失業が増加する可能性があることを示しています〉

これでは逆だ。正しくは、「実際の金利が自然利子率より高ければ、金融政策が経済に抑圧的に働いていることを意味する。逆に、低い場合には経済を過熱させる危険がある」。

ChatGPT の理解に従って金融政策を行なったら、経済は大混乱に陥《おちい》ってしまうだろう。

論語読みの論語知らず

以上の2つのケースにおいて、ChatGPT のどこに問題があるのだろうか？ 円キャリー取引も自然利子率も、日常会話には現れない専門用語だ。そして、それらの意味の解説で、ChatGPT は間違っておらず、かなり正しい理解を示している。

問題は、条件が変化した場合にどのようなことが起きるかという「推論」の部分なのである。円キャリー取引の場合についていえば、アメリカの金利上昇という変化が生じた場合に、円キャリー取引がどのような影響を受けるかだ。それについて、ChatGPT はまったくデタラメな結論を出した。

つまり、円キャリー取引という言葉の意味は正確に答えたのだが、その本当の意味を理解しているとはいえない状態なのである。どこかに書いてある定義を、そのまま表面的に繰り返しただけだ。その概念を使って、様々な推論をすることはできない。

自然利子率の場合も同じだ。表面的な説明は正しいのだが、実際の金利がそれより高かったり低かったりする場合に、何が起きるかという推論の部分で間違っている。したがって、ここでも、概念の真の意味を理解しているとはいえない。

つまり、**ChatGPTの理解は、表面的なものにすぎない**。概念の意味について一応の説明はできるが、その概念を用いて様々な推論をしたり、経済状態の評価をしたりすることはできない。つまり、それらの概念を使うことができない。

「論語読みの論語知らず」という言葉がある。論語の文面はよく知っているのだが、深くは理解できていない、あるいは実践していないという意味だ。円キャリー取引や自然利子率に関するChatGPTの理解は、まさに「論語知らず」という評価にあたる（なお、ChatGPTは、「論語読みの論語知らず」の意味を、きわめて正確に説明した）。

検索語がはっきりしていれば、ChatGPTの優位性を発揮できない

基礎概念についてのChatGPTの説明がすべて間違っているわけではない。正しいものもある。しかし、どちらであるかの見分けは、なかなかつきにくい。だから、ChatGPTだけに頼って経済の勉強をすると、とんでもなく間違った理解をしてしまう危険がある。

同じようなことは、他の専門分野についてもいえるだろう。

ところで、以上で述べたケースでは、検索対象の名称が、「円キャリー取引」とか「自然利子率」という形で、はっきりと分かっている。したがって、検索エンジンで調べれば、意味が

分かる。それらが常に正確とは保証できないが、多くの場合に、かなり正確な説明が得られると期待してよいだろう。

このように**検索語が明らかな場合には、ChatGPTの優位性は低い**。これは、もともとChatGPTの得意なケースではないのだ。こうした場合には、最初から検索するほうがよい。

3 実体験に基づく理解だけでよいのか？

勉強とは、「なぜか？」の追求

社会科の勉強が人間の作った社会を対象にしているのに対して、物理、化学、生物などの理科は、自然現象を対象にしている。その違いはあるが、基本的な性格は同じだ。

これらの分野での研究は、体系を動かしている法則を理解し、できれば将来を予測することだ。だから、「なぜか？」という疑問から出発し、それを説明する法則を見出すことを目的にしている。

勉強においても、「なぜか？」という疑問を持ち続けることが重要だ。本章の1で歴史についてそれを述べたが、疑問は、自然現象についても、もちろんたくさんある。

好奇心の強さは人によって差があるが、誰でも、いろいろなことを観察していれば、疑問が出てくるだろう。それらをChatGPTに問いかけてみよう。きっと新しい世界が広がるだろう。

ChatGPTとの対話で最も重要なのは、「なぜか？」という質問だ。

シンボル・グラウンディング：人間は実体験に基づいて記号や概念を理解する

第2章の4で「シンボル・グラウンディング問題」について述べた。これは、「人間やＡＩが、記号や法則・概念などをどのように認識し、理解しているのか」という問題だ。

人間がこれらを実体験に基づいて理解しているのに対して、ＡＩは身体を持たないため、そのような理解ができない。「ＡＩが事実やデータに関して間違った答えを出したり、数学的推論や形式論理学で間違う場合があるのは、ＡＩがシンボル・グラウンディングをできないためではないか」という考えがある。以下では、これについて考えよう。

まず、人間が記号や法則・概念などをグラウンディングによって理解していることは間違いない。例えば、多くの人は、時刻を認識するのに、アナログ型の時計を思い浮かべる。残り時間を確かめる場合に、アナログ型の時計を見て、「あと15分」というように認識している。しかし、デジタル型の時計だと、このような認識ができない（あるいは難しい）。

講演を予定どおりの時刻に終了させるためには、残り時間を常に把握している必要がある。ところが、デジタル型の時計を見てもピンとこない。数字が並んでいるだけだからだ。だから、12時に終わらせるべき講演で、「11：43」という数字が出ている場合、「60−43＝17だから、あと17分」という計算をすれば残り時間を把握できるが、講演の最中に話しながらこの計算をするのは、決して簡単なことではない。

これに対して、アナログ型の時計では、計算をしなくとも、見た瞬間にどのくらいの時間が残っているのかが分かる。これは、人間が時間をアナログ型の時計の針の位置という形でグラウンドしているからだろう。だから、デジタル型の時計に現れる数字だけでは、時刻や残り時間を正確に把握できないのだ（デジタル型時計で残り時間を把握する場合も、前記のような計算をするのではなく、アナログ型時計を想像する人が多いだろう）。

様々な道具がデジタル化される中で、時計については、デジタル型はあまり普及しなかった。依然としてアナログ型の時計が多く使われている。これは、アナログ型時計によるシンボル・グラウンディングをしないと時刻を把握しづらいという事情によるものと考えられる。

人間のシンボル・グラウンディングには、問題がある場合も

では、シンボル・グラウンディングは、どんな場合にも優れた方法なのか？　そうはいえないと思う。多くの人は、方角を認識するのに、自分の具体的な経験と結びつける。例えば、道案内をするのに、「地下鉄の出口を出て、右側に行く」というように説明する。あるいは、「玄関の右側にきれいな花が咲いている」と言う。右か左かで方角を認識しているのだ。

しかし、当然のことながら、左右は、自分がどちらを向いているかによって異なる方角を指す。例えば、地下鉄の出口が2つあり、1つは北向き、1つは南向きであるとすれば、先程の指示では、どちらの出口から出るかによって、まったく逆向きになってしまう。

このように、方角については、シンボル・グラウンディングによって自分の経験と結びつけるのではなく、地図を頭の中に思い浮かべ、抽象的な概念として、西とか東というように理解すべきだ。だから、シンボル・グラウンディングが必ずしも適切な認識の方法とはいえない。

もっとも、方角の場合には、「太陽が出る方向が東」といった認識の仕方もある（その場所をよく知っていれば）。これは、実体験にリンクした正しい認識だ。だから、グラウンドさせるのがいいとか悪いということではなく、グラウンドのさせ方が問題ということかもしれない。

これは、「人間は、グラウンドさせずに、抽象的な概念や記号、あるいは法則を理解することができるか？」という問題として考えることも可能だろう。人間は、実体験からかけ離れた概念を考えることができるだろうか？　それは、どのような意味を持つだろうか？

次節では、この問題を考えることとする。

4

科学の発展は、実体験からの脱却で実現した（その1：コペルニクス）

シンボル・グラウンディングは可能性を狭める？

本章の3で、人間は「グラウンド」することによって様々な概念を理解しているのだと述べた。そして同時に、グラウンドが常に正しい理解法とは限らないことを述べた。

グラウンドすると、分かりやすくなる。だから、分かりやすくするために、例を挙げるなどして、実体験に結びつけて説明する。

学校でもそうした指導がなされる。しかし、それによって、われわれは実は、本当の意味での可能性を狭めているのかもしれない。

地動説はなぜ発想されたのか？

改めて科学史を振り返ってみると、科学を進歩させた原動力は、日常体験を離れた発想から生まれていたことが分かる。

その典型例が、コペルニクスによる地動説だ。これは**「コペルニクス的転回」**と呼ばれるように、科学史における大きな転換点となり、後の科学革命への道を開いた。

しかし、地動説は、日常体験の延長からは出てこない発想だ。つまり、「グラウンド」するという理解法からは出てこない。

日常体験は、大地は絶対に動かないと教えている。太陽や月、星を観測すると、動いているが、それは太陽や月や星が地球の周りを回っているからだ。天動説は、そのように教えていた。

地球が丸いことは古代ギリシャ時代にすでに分かっていたが、地球が宇宙の中心に位置し、その他の天体が地球の周りを回っているというのが、キリスト教の基本的な教義だった。だから、それに反論することはできなかった。

コペルニクスが地動説を提唱したきっかけは、当時の天文学の複雑さと不正確さに対する不満だったといわれる。当時主流だったプトレマイオスの天動説は、天体の動きを説明するためにエピサイクリック運動（周転円運動）を導入しており、非常に複雑なものだった。また、コペルニクスは、天動説が提供する予測が実際の天体観測データとしばしば一致しないことに気づき、より単純で正確なモデルを求めていた。

コペルニクスは、地球が太陽を中心に回転するというモデルが、天動説よりも数学的に単純で美しいと考えた。彼のモデルでは、天体の運動をより少ない仮定で説明できたのだ。

虚数の発明

数学ではどうか？　自然数（正の整数）は、明らかに実体験に即している。ものが1個、2個、3個とあるのに対応しているからだ。整数も実数も、体験と関連づけて把握できる。

では虚数はどうか？　i（二乗して-1になる数）という概念は、実体験では理解できないものだ。この概念は、16世紀のイタリアの数学者ジェロラモ・カルダーノによって初めて導入された。カルダーノは、三次方程式の解を求める過程で虚数に遭遇した。

もっとも、彼は虚数について完全には理解していなかった。18世紀になって、レオンハルト・オイラーなどの数学者が理論を発展させ、現代数学における虚数の基礎を築いた。

虚数の導入は、数学を大きく発展させた。数学のみならず、物理学、工学、その他の科学においても、理論的な洞察と実用的な応用を大きく進展させた。このように考えると、実際の体験からの脱却こそが、科学を進歩させてきたと考えることができる。

5

科学の発展は、実体験からの脱却で実現した（その2：ガリレオとニュートン）

実体験に縛られている限り、科学の進歩はなかった

われわれの実体験では、羽根と鉄球を同時に落とせば、鉄球が先に落ちる。しかし、これは空気抵抗があるためだ。

真空中では、羽根と鉄球は同時に落ちるはずだと、ガリレオは考えた。そしてそれを、ピサの斜塔から、重さの異なる2つの鉄球を落とす実験で証明した。

ガリレオが落とした2つの鉄球は、地上に置いた鉄板に同時に当たり、音はただ1回だけ響いた。それは、近代科学の始まりを告げる音だった、と科学史の本に書かれている。*注

＊注　なお、ガリレオは、『天文対話』（翻訳が岩波文庫にある）で、重さの異なる物体が同時に落ちることを「論理的に」証明している。この証明は実に面白い。

「ニュートンがリンゴが落ちるのを見て……」も、同じような話だ。彼の疑問は、「リンゴは落ちるのに、なぜ月は落ちないのか?」だった。

彼の説明は、運動の第1法則として表されている。つまり、「力が加わらない物体は等速運動を続ける」のだ。だから、仮に地球がなければ、月は一つの直線に沿って等速運動を続けているはずなのである。ところが、地球があるために、地球の重力に引かれて、地球に向かって落ちている(正確にいえば「落ち続けている」)。

この2つの運動の結果、月は、地球から一定の距離の軌道で公転するのだ。つまり、リンゴが落ちるのと同じように、月は地球に向かって落ちているのである。これが、「リンゴは落ちるのに、なぜ月は落ちないのか?」に対するニュートンの答えだった。

ガリレオの考えも、ニュートンの考えも、日常の体験には反するものだ。しかし、これらによって物理学が進歩した。アインシュタインの相対性理論も同じだ。時間や空間が伸び縮みするというのは、われわれの実体験からは理解できないことだ。私はいまだに理解できない。

AIは、シンボル・グラウンディングができないために、創造ができる?

私は、昔から、運動の第1法則は奇妙な法則だと思っていた。なぜなら、第1法則は、第2法則の系と解釈することができるからだ。第2法則は「加速度は力に比例する」としているのだから、力が加わらなければ、加速度はゼロ、つまり等速運動をすることになる。

第1法則は不要なのではないか？というのが、私が長年抱いていた疑問だったのである。ChatGPTにこの疑問を投げかけてみたところ、〈論理的にいえば確かにそのとおりなのだが、これは科学史上の観点からは重要な意味を持っている〉との答えが返ってきた。なぜなら、それまでは、「力が加わらない物体は止まっている」と考えられていたからである。それを覆《くつがえ》すという点で、第1法則は重要な意味を持っていたのだという説明であった。

なるほど、確かにそうだ。第1法則は、明らかに実体験に反するものだ。実体験では、「力が加わらない物体は静止している」（滑《なめ》らかな氷の上では滑《すべ》ることができるが、それでも、やがて停止する。力を加えない限り、滑り続けることはできない）。

実体験に縛られている限り、物理学の進歩はなかったのだ。ガリレオもニュートンも、実体験に縛られた考えから抜け出したために、物理学を発展させた。「コペルニクス的転回」も、コペルニクスが「大地は盤石で動かない」という実体験から抜け出せたために可能になったものだ（そもそも「グラウンディング」という言葉自体が、「不動のものに関連づける」という意味だ）。

以上のように、シンボル・グラウンディングは、必ずしも正しい理解や理論の発展をもたらすわけではない。

そうであれば、「ＡＩは、人間と同じような形で理解することができないから、人間より劣っている」とか、「ＡＩに真の創造活動はできない」などと言うことはできない。ＡＩは、シンボル・グラウンディングができないために、普通の人間とは異なる形での創造ができる、ということもあるのではないだろうか？

6 自然の不思議をChatGPTで解き明かす

光はどのようにして最短距離を見つけているのか?

不思議なこと、分からないことは、われわれの身の回りにいくらでもある。問い続けていけば、きりがない。

私が昔から不思議に思っているのは、「なぜ、真空中で光は直進するのか?」ということだ。これはフェルマーの原理（光が、ある点から別の点へ移動する際に、その経路は光が移動するのに必要な時間を最小化する経路である）の結果だというのだが、いくつもの疑問がある。

第1に、事前に測定をしないのに、光はどうして直進経路を見出すことができるのか?

第2に、光は意思を持っていないのに、なぜ「所要時間最小化」という経済性を追求するのか?

これらについて納得がいくように説明した参考書を、これまで見つけることができなかった。ところが、ChatGPTに質問したところ、第2の疑問に関しては、〈自然がなぜそのように振る舞うか、理由は分からない〉という答えが得られた。〈自然がなぜこのような原理に従うのかについては、哲学的な問いとして残されています。物理学は、自然がこの原理に従うことを示す観測結果を提供しますが、その背後にある「なぜ」という問いに対する最終的な答えはまだ与えられていません〉と言うのだ。完全に納得したわけではないが、かなりの程度は納得できた。ただ、第1の疑問（なぜ直進が最短距離だと分かるのだろうか？　どのようにして測定し、判断しているのだろうか？）は、依然として解明されない。

屈折となると、さらに不思議だ。空気中を進んでいた光が水やガラスに当たると、屈折する。水やガラスを通過するには、空気中より多くの時間がかかる。このため、通過時間を少なくするように進路が変わるのだ。しかし、光は、水やガラスに当たった瞬間に、その媒体の性質をどうやって測定し、そして最適経路をどうやって計算するのだろうか？　何の試行錯誤もなしに？

反射のメカニズムも不思議だ。摩訶《まか》不思議といわざるをえない。改めて気がついて、身の回りを見渡してみると、不思議なことばかりだ。

なお、「超」勉強法の基本的な態度は、以上のような問題に拘泥《こうでい》するのではなく、物理学の基本法則を受け入れ、それを実際の問題にどのように応用できるかを訓練するほうが重要だというものだ。

不思議を解明するのは楽しい

私は、こうしたことを昔から不思議に思っていた。しかし、教科書や参考書は説明してくれない。第1章の2で述べたように、教科書は読者の疑問に対して、常に答えてくれるわけではない。

ところが、ChatGPTに問いかければ答えてくれる。ChatGPTは、私が昔から不思議に思っていたことに答えてくれる初めての存在だった。

ChatGPTにこうした疑問を投げかけていくことで、そして、それらを物理学の様々な法則と関係づけていくことで、自然現象をより深く理解することができる。しかも興味を持って。化学や生物についても、同じような方法で探究していくことができる。生物は身の回りにいくらでもいるので、不思議なことは山ほどある。

私は中学生のとき、自分より高学年の生物の教科書を見て、シダが胞子で繁殖することを知り、実に不思議なことだと思った。そのときの驚きをいまでも覚えているのだが、これと同じような体験を、いくらでもすることができる。

7

AIは創造活動ができるか？

マテリアルズ・インフォマティクスで成果を上げている

ＡＩは、シンボル・グラウンディングができないという意味で、人間とは異なる形で世界を理解している。では、それに基づいて、新しい分野を切り拓くことがありうるだろうか？

ＡＩは、すでにいくつかの分野で、創造といえなくもない活動をしており、かなりの成果を上げつつある。

とくに顕著なのが、「マテリアルズ・インフォマティクス（ＭＩ）」だ。ＡＩによって無限ともいえるパタンの物質の組み合わせを試み、それらに偶然の変化を与え、その中で有望なものをピックアップするという方法だ。例えば、80億とおりもの候補の中から最適な構造を見つけたといわれる。

生命科学の分野で取り入れられ、創薬などに活用されている。試料の作製に手間がかかり、大量のデータを得るのが難しいなどの課題を抱える材料分野でも、成果が出始めている。

無限ともいえる組み合わせの中から、役に立つのはどれかを見極めるのは容易ではない。材料研究者は、これまで実験と考察を繰り返し、経験を積んで、求める特性を備える材料を開発してきた。マテリアルズ・インフォマティクスは、それを塗り替えつつある。これまで10年近い時間が必要とされていた材料開発の期間を、10分の1に短縮することが可能になっているという。

このように、「非常に多くの組み合わせの中から役立ちそうなものを選んでいく」というのが、ＡＩ的な創造なのだろうか？　それは、材料選択以外にも適用が可能か？

「考えられるすべての組み合わせを試みることによって創造する」という手法が、あらゆる創造行為に適用できるとは考えられない。むしろ、ポアンカレが言うように、人間の創造過程で重要なのは、ある種の方向性を持って探索を行ない、無駄なものは最初から試みないことなのではないかと考えられる。*注

それとも、ＡＩの計算速度が非常に速いことが、このことを変えてしまうのだろうか？

＊注　これについては、野口悠紀雄『「超」創造法　生成ＡＩで知的活動はどう変わる？』（幻冬舎新書、２０２３年）、第６章の２で考察した。

生成ＡＩの芸術作品は創造とはいえない

以上で述べたのは科学・技術の分野だが、芸術においても同じ問題がある。音楽は人間の最も原始的な感覚である聴覚の問題だ。美術は視覚の問題だ。音楽が抽象化し、絵画が抽象化しても、「美しい」と感じるか否かの基準は変わらない。いずれも、人間の感覚に「グラウンド」している。

生成ＡＩは、芸術の分野においても、新しい創造物を作り出しているかのように見える。しかし、これらを創造といえるかどうかは疑問だ。

とくに絵画においては、人間が作ったものを、人間の指示に応じて組み合わせているだけのようにしか見えない。そこにＡＩ独自の創造の要素があるようには思えない。

また、小説も人間が細かく指示しないと、読むに値する作品はできない。面白いストーリーが出てこないのは、ＡＩの本質的な問題が関係しているのだろう。

面白いと感じたり、驚きや感動などの感情を持っていたりしなければ、小説は書けない。人間がストーリーを考え、手取り足取り指導する必要がある。ＡＩはそれに応じて見かけが正しい文章を出力してくれる。だが、ストーリーを創るのは、人間だ。このようなことから、芸術の分野でのＡＩの創造能力は、限定的なものだといわざるをえない。

第7章のまとめ

1 「?」とストーリーで歴史を勉強すると、興味が尽きない。ウクライナ戦争、パレスチナ紛争など、時事問題の歴史的背景を詳しく知ることもできる。

2 ChatGPTで経済の勉強ができるか？　統計データを聞けば教えてくれるが、ほとんど信頼できない。また、基本的な概念の理解を間違えることもある。

3 人間は、記号や法則・概念などを実体験に結びつけて理解する。AIはそれができないので、創造活動はできないといわれる。

4 物理学や数学は、人間の実体験に縛られない発想によって発展してきた。その典型が、コペルニクスの地動説だ。

5 ガリレオ（重さの異なる物体は、真空中では同じ速度で落下する）や、ニュートン（力が加わらない物体は、等速運動を続ける）、アインシュタイン（時間や空間は伸び縮みする）の発想も、実体験とは乖離《かいり》している。

6 自然の不思議をChatGPTで解き明かすのは、実に面白く、楽しい体験だ。これまで誰も答えてくれなかった疑問に答えてくれる。

7 AIは実体験によっては物事を理解していない。では、AIによって真の創造はなされるのだろうか？　成果を上げている分野もあるが、芸術分野での創造能力は、限定的だ。

第Ⅲ部

教育制度に突きつけられた大問題

第8章

ChatGPTは教育制度の基本を変える

1 ChatGPTで教師の役割が大きく変わる

人間の教師の必要性は、教科によって違う

ChatGPTの時代に、人間の教師の役割は残るだろうか？　人間の教師は依然として必要か？

この答えは、教科によってかなり違う。

まず外国語については、第4章で見たように、基本的にはChatGPTのほうが優れている。

だから、人間の教師の必要性は大きく減少するだろう。

国語についても似たことがいえる。ただし、第5章で見たように、ChatGPTは論理の進め方を誤ることがある。だから、正しい論理を教えるのは、人間の教師の役割だ。

数学については、人間の教師の役割は大きい。したがって、学校での教育も、これまでとほとんど変わらない形で続くだろう。なぜなら、第2章の4で説明したように、数学については、「シンボル・グラウンディング問題」のために、ChatGPTの能力に大きな疑問があるからだ。

理科・社会科については、第7章で見たように、ハルシネーション（幻覚）に注意しつつ、教師の指導のもとにChatGPTを活用することができる。

何を勉強したらよいかを示すのは、教師の役割

英語や国語は言葉の勉強である。これらは、細かい方針がなくても、勉強を進めることができる。第4、5章で述べたように、文章を書いて、それをChatGPTに直してもらうことを続けていけばよい。

そうであっても、学ぶべき本当に重要なことが何であるかは、教師が教えることだ。

第1章の3で述べたように、ChatGPTを用いると興味が尽きないので、面白い小説を読むようにどんどん進んでしまうことがある。しかし、興味の赴《おもむ》くままに進んでよいというわけではない。方向づけを誤ってはならない。

とりわけ数学や理科がそうだ。これらは、理論の体系である。これらを学ぶには、どうしても教師が必要だ。社会科についても同じことがいえる。

こうしたことがあるので、どの教科においても、「何をどのように学ぶか」というカリキュラムは教師が作る必要がある。これは、ChatGPTが準備することもできるが、最終的には人

間の教師が判断することが必要だ。*注

ChatGPTの使い方を教える必要

何の指針もなしにただChatGPTを与えられても、生徒や学生は、何をどうやって勉強したらよいのか分からず、途方にくれるだろう。だから、「ChatGPTをどう使うか？　どのような質問をしたらよいのか？」ということを教える必要がある。

ある程度ChatGPTに慣れれば、使い方そのものをChatGPTに教えてもらうことができる。しかし、少なくとも最初の段階では、ChatGPTの使い方を教えるのは、人間の教師の役割だ。どのように質問したらよいのかを教えることは、とりわけ重要だ。

成績評価も教師の重要な役割

また、学校教育においては、個々の生徒や学生の成績評価をする必要がある。これについても、ChatGPTにかなりのことができるが、その範囲は限られている。総合的な判断は、人間の教師が行なう必要がある。

なお、様々な調査によれば、学校の教師の業務の大半は、教えることというよりは、雑務だという結果になっている。こうしたことを効率的に処理するために、ChatGPTの果たす役割は大きい。

以上で述べたように、ChatGPTがいくら性能を高めても、人間の教師がまったく必要なくなるといった事態は考えられない。ChatGPTの時代における教師の役割は、カリキュラムを作り、何をどのように勉強すべきかを示し、採点をする。そして、ChatGPTの使い方を教えるということが中心になるだろう。

これらは、現在の教師の役割とはかなり違ったものになる。こうした変化に対応できるかどうかが重要な課題だ。

進捗度の個人差に対処する

以上のように教師の役割は残るが、いくつかの面において、ChatGPTは重要な役割を果たすことになるだろう。

第1は、学生・生徒ごとの進捗度の違いへの対処だ。学生・生徒の中には、平均的な学習の進捗に追いつけない者もいる。逆に、平均的な学習進捗よりさらに進んだ勉強が可能な者もい

＊注　ただし、社会人の場合には、ChatGPTに学習のカリキュラムを作ってもらって、独学することが有効だ。第10章の2を参照。

る。こうした違いへの対処は、これまでは、必ずしも十分になされてきたとはいえない。

これらの学生・生徒に対しては、本来は、補習や特別コースで対処する必要がある。しかし、これまでの学校教育では、そうしたことを行なう余裕がなかった。ChatGPTを活用すれば、こうした学生・生徒に対して個別教育を行なうことが可能になる。これについては、第1章の4で述べた。

この場合、進捗度の違いや能力の差に応じて、どのように学ぶかというカリキュラムを作る必要がある。それを個々の学生・生徒について人間の教師が個別的に行なうのでは、たいへんな作業になってしまう。この面で、ChatGPTに期待するところが大きい。なお、学校のもう一つの重要な役割は、社会生活の訓練だ。これについては、第10章で述べる。

2

ChatGPTを禁止・制約するのではなく、活用すべきだ

人間の家庭教師はよいのに、なぜChatGPTがだめなのか?

ChatGPTなど生成AIと教育の問題について、文部科学省のガイドラインや東京大学など多くの大学の方針では、ChatGPTだけでレポートや論文を作成することを禁じている。

これらの指針は、「ChatGPTに課題を丸投げして作成させると、思考力が育たない。だから禁止」という発想から作られているように思える。

しかし、この問題は一見したよりずっと複雑だ。今後、教育の現場では、この指針を実施するために、様々な困難に直面することが避けられないだろう。

最初に、重大な疑問点がある。家庭が裕福なために優秀な家庭教師を雇うことができる子供が、レポートの作成を家庭教師に頼んだとしよう。おそらく満点を取れるレポートを作成してくれるだろう（または、親に能力があり、かつ時間の余裕もあるために、子供のレポート作成

を手伝う場合もあるだろう）。このようなことは、これまでも事実上、見逃がされていたし、今後も見逃がされるだろう。

一方で、**ChatGPTは、「貧者の家庭教師」といえる。**特別に裕福な家庭の子でなくても使うことができ、そして、かなり良い点を取れるレポートを作成してくれる。しかし、文部科学省のガイドラインや大学の方針は、これを禁止しているのだ。

では、なぜ人間の家庭教師は見逃がされ、ChatGPTという家庭教師は否定されるのだろうか？　これでは金持ち優遇ということにならないだろうか？

前からあった問題がはっきりした

右に述べたことは、決して粗探しや揚げ足取りではない。これは、現在の教育体制が抱えている重大な問題点を浮き彫りにしているのだ。ChatGPTの登場によって、教育の基本条件が大きく変わり、いままでも存在していた問題が明確になった。

レポートの作成に助けを借りてはいけないというのは、いま初めて生じた問題ではなく、これまでもあったことだ。もし、そうしたことを認めてしまうと、学生や生徒の思考力や創造力が鍛えられなくなるので、これは当然のことだ。

本当のことをいうと、これまでも、レポートの作成に家庭教師の力を借りることは禁止されるべきだった。しかし、これまで、助けを借りることができるのは、ごく少数の学生だけだった。それに、家庭教師の協力を得ているかどうかをいちいち確認することは、ほぼ不可能だった。このため、これが大きな問題とされることはなかった。

しかし、ChatGPTが登場して、誰でも助けを借りることができるようになった。そのため、いままでも存在した問題に、緊急に対処しなければならなくなったのだ。

教師がまず行なわなければならないのは、助けを借りると自分の成長にはつながらないということを、学生に納得させることだ。

家庭教師であれChatGPTであれ、自動的に答えが出てきてしまうのであれば、創造する能力は養われない。また、これまで何度も述べたように、ChatGPTの答えには誤りが含まれているので、そのまま受け入れれば、誤った知識を身につけてしまう。だから、安易に使うべきではない。このことを、生徒や学生に対して積極的に説明すべきだ。

制約しようとしてもできず、不毛な戦いになる

しかし、このような説得だけでは、実際の解決策にはならないだろう。楽だからという理由でChatGPTを使う学生は、確実にいるだろう。そして、ＡＩが生成したエッセイや論文を自分のものとして提出するだろう。

学校は、学校のネットワークや学校所有のデバイス上でChatGPTの利用をブロックすることはできる。しかし、学生は自分のＰＣなど、ChatGPTにアクセスできる手段をいくらでも持っている。

家庭教師の助けを借りたかどうかをチェックするのは難しいと述べた。ChatGPTの助けを借りたかどうかについても、同様の問題がある。助けを借りたかどうかをチェックするのは決して簡単なことではない。使用を検出するツールは開発されているが、教師は、このツールを使用して不正行為を行なっている生徒を捕まえようと必死にならなければならない。

そして、そのような作業は決して楽しいものではない。生徒や学生が悪者であるという前提で、それを発見しようとする作業など、少しも面白くないばかりか、苦痛だろう。

しかも、ChatGPTの出力内容を少し変えて提出すれば、すぐには分からないだろう。これは不毛な戦いになる。

さらに、たとえChatGPTの使用の検出が技術的に可能だとしても、教師は夜間や週末を費やして、ＡＩ検出ソフトウェアを使おうと思うだろうか?

多くの教師は、ChatGPTを利用した不正行為が横行するのは迷惑だと感じている。しかし、それを取り締まることは、さらに困難なことだと考えているだろう。もしChatGPTが書いたレポートや論文を通してしまったら、それを見抜けなかった教師の責任になる。

発見できたとしても、学生が認めなかったら、どうすればよいのだろうか？　そして仮に認めたとしたら、どのような処罰を加えるのだろうか？　真面目に考えると、悪夢のような状態が発生しかねない。ChatGPTは、すでに多くの教師をパニックに陥《おちい》らせているに違いない。

世界は変わった。教師は適応する必要がある

では、どうすればよいのだろうか？

答えは明らかだ。世界が変わったから、教師側がそれに対応しなければならないのだ。家庭教師であろうがChatGPTであろうが、その助けを借りることで簡単に解決できる問題を出すこと自体が間違いなのだ。

自分自身が努力し、実力をつけなければ解答できないような問題を出すべきだ。例えば、口頭試問やグループディスカッションの時間を増やすことも一つの解決策だろう。決して簡単なことではないが、この問題に正面から取り組む必要がある。

ChatGPTなどの生成ＡＩの登場は、教育に対する深刻な挑戦であることは間違いない。教室でこれまで続けてきた教育実践、そして、様々な教育基本原則に対して、大きな挑戦がなされているのだ。

世界は変わった。ChatGPTのような生成ＡＩは、何らかの大規模な規制介入がない限り、

進化し続けるだろう。そして、私たちの社会に定着するだろう。大規模言語モデルの能力が、今後、低下するとは思えない。私たちはこれらのツールを単に禁止するのではなく、それに適応する方法を見つける必要がある。

学校はChatGPTの教室での使用を禁止や制限するのではなく、慎重に採用すべきだ。なぜなら、いまの学生たちは、卒業後、生成ＡＩプログラムが溢《あふ》れる世界で生活し、仕事をすることになるからだ。

こうした世界で生きるためには、生成ＡＩの長所と短所、そして特徴と欠点を理解し、それらを適切に使いこなす方法を学ぶ必要がある。未来社会の市民となるには、ＡＩがどのように機能するのか、ＡＩにどのような種類のバイアスが含まれているのかを理解することが必要なのだ。

3

エントリーシートはChatGPTで書けるから、もうやめにしよう

エントリーシートにChatGPTが使われるが、企業は対処のしようがない

教育の内容とは直接の関係はないが、関連することとして、日本の就職活動で使われているエントリーシートについて、述べたい。

大学生らの就職活動で、エントリーシートの記入にChatGPTを使うケースが増えている。少し前から、どうやってChatGPTを使ってエントリーシートを書くかという指南書がウェブに溢れている。企業がどう対応したかは報道されていないので、はっきりしたことは分からないのだが、ChatGPTの使用を禁止した事例はなかったようだ。仮に禁止したとしても、見破るのは難しいから、実際には多くの学生が使った可能性がある。

ChatGPTを用いれば、用いない場合に比べて優れたエントリーシートを書くことができるだろう。だから、不公平になる。では、どうしたらよいのか？

なお、同じ問題が、総合型選抜入試（ＡＯ入試）における小論文についてもある。問題の性質はまったく同じだ。総合型選抜入試を行なっている大学は態度を明確にする必要がある。

エントリーシートはやめるべきだ

エントリーシートは、膨大な数の潜在的応募者の足切りに用いているので、試験場に集めて書かせることでChatGPTの使用を排除するのは、もともと無理だ。

私は、この機会に、エントリーシートそのものを廃止すべきだと思う。その理由は、エントリーシートはこれまでも問題を抱えていたからだ。

まず、親や家庭教師が手伝っていた場合があったはずだ。それをチェックすることは難しかった。その意味で、これまでも、不公平な選抜方式だった（これは、課題レポートについて本章の2で述べたのと同じ問題だ）。また、助力を受ける可能性が認識されていたので、採用側がこれをどの程度重視していたかも疑問だ。

「ガクチカ」が日本を滅ぼす

最も大きな問題は、エントリーシートの内容だ。そこには志望動機、性格、価値観などを書いて、自己ＰＲをする。とりわけ重視されるのが、「**ガクチカ**」だ。これは、「学生時代に最も力を入れたこと」を指す。企業側は、これを見て、「社風に合っている人物か」「これから能力を発揮できる人物か」などを判断するのだという。

しかし、ガクチカでやる気を判定するなど、まったくのナンセンスだと思う。私の考えでは、**「学生時代に最も力を入れたこと」に対する答えは、1にも2にも3にも、「勉強」でしかありえない。**大学は専門的な知識を学ぶための場であり、スポーツ選手の合宿所でもないし、ボランティアの紹介センターでもない。社交場でもないし、レジャーランドでもない。

もちろん、スポーツもボランティア活動も重要だ。しかしそれらは、勉強し、読書をした後で、時間が余れば行なうことだ。勉強はどうでもよくて、これらだけをやるというのでは、本末転倒以外の何ものでもない。

学校の成績などどうでもよいというのでは困る。これでは、教育機関は、存在意義を否定されたようなものだ。ガクチカがもてはやされる風潮に、教育機関はこれまでよく抗議の声を上げなかったものだ。

エントリーシートは意味がないと誰もが思いながら、惰性で続けられてきたのではないだろうか？　なお、エントリーシートは、われわれの世代が就職した時代にはなかったものだ。それでも、採用活動は支障なく行なわれていた。エントリーシートは、ソニーが１９９１年に初めて導入したものだとされる。

企業は「ガクチカ」ではなく成績を見るべきだ

企業の採用試験で足切りが必要であれば、専門科目でどの程度の知識を持っているかを基準にすべきだ。それは、大学の成績で評価されているはずである。

だから、企業は、エントリーシートでガクチカを聞くのではなく、成績を聞けばよい。そうすれば、現在の制度よりずっと公平な判断ができるはずだ。エントリー段階で成績証明書を取るのが難しければ、学生に自己申告させればよい。いずれ分かることだから、虚偽申告はしないはずだ。

そうであるにもかかわらず、企業が足切りのためにガクチカを提出させ、その反面で学校の成績を聞こうとしないのはなぜだろうか？

足切りだけではない。最終的な判定においてもそうだ。日本の企業は、大学の成績を問題にするとしても、採用・不採用の判定に使うだけだ。成績に応じて専門家としての能力を判定し、それに応じて給与を変えたり、職務内容を変えたりするといったことは行なっていない。

日本の大学の成績評価は甘い

大学の成績が重視されない大きな原因が、大学側にあることも間違いない。日本の大学は甘い成績評価しかしていない。だから、企業は大学の成績判定を重視しない。

教育機関の役割は、教えることだけではない。学習結果や能力をテストし、評価するのは、教育機関がもともと果たすべき重要な役割だ。日本の教育機関も、入学時の選抜においては、この機能を果たしている。しかし問題は、入学後の成績評価が厳格に行なわれていないことだ。日本では、大学は、入学できたら卒業できるところだと考えられている。成績不良で進級させなかったり、卒業させなかったりするのは、酷なことだと考えられている。単位が足りなくて卒業要件を満たせない場合、「就職は決まっているのだから、なんとかしてほしい」などという、本末転倒の要求が罷《まか》りとおる。

OJTからの脱却が必要

学生にとっては、入学することだけが重要になり、大学に入ったら勉強しない。そして、勉強ではなく、「ガクチカ」を大事にする。「大学に入ってから死に物狂いで勉強した」などと言えば、よほどの変わり者と思われるだろう。このため、専門的な知識が身につかない。

企業は大学卒業者に専門的な能力を期待せず、必要な技能をＯＪＴ（オン・ザ・ジョブ・トレーニング：職場での仕事を通じて、業務に必要な知識や技能を身につけさせる方式）で教える。ＯＪＴ方式は、１９６０年代、７０年代頃には機能した。しかし、技術が急速に発達する現代では通用しなくなっている。

日本経済不調の根本的な原因は、高等教育機関の卒業者が十分な専門的能力を持たないことだ。これは、様々な国際比較ランキングにはっきりと表れている。日本人の能力は、初等・中等教育の段階では、世界でトップクラスだ。しかし、企業における人的能力になると、世界で最低に近い順位になってしまうのである。

以上で述べた日本の状況は、アメリカの場合と大きく違う。アメリカの大学や大学院では、成績が悪ければ、留年どころか、キックアウトされる（退学させられる）。だから、学生は死に物狂いで勉強する。そして企業は、大学や大学院での成績を重視し、それによって、採用・不採用だけでなく、職務内容や給与を決める。

このような人材が新しい技術や新しいビジネスモデルを生み出し、アメリカ経済を発展させてきた。これはアメリカに限ったことではなく、多くの先進国に共通することだ。この機会に、日本は教育機関や専門家のあり方を、根本から見直すべきだ。

経営者がデータを活用できる能力を持つこと

企業がデータを活用するためには、経営者がその能力を持っていることが必要だ。どういう意思決定にデータを活用するのか、そのために必須となるデータは何かといったことを経営層がよく理解し、データの利活用戦略を立てることが必要だ。アメリカのビジネススクールでは、経営者がこのようなデータ活用をできるようになるための教育を行なってきた。

しかし、日本の大学では、このような教育を行なってこなかった。文系の学部では、こうしたことはほとんど教えていない。理工学部でも、従来型の製造業のための学問が重視され、データを用いて意思決定を行なうための教育はきわめて不十分にしか行なわれていない。これは日本の教育体制における大問題だ。

現在の日本の経営者で、このような基礎的な教育を受けた人はほとんどいないといってもよいだろう。したがって、新しい時代にどのように対応するかは、非常に難しい課題だ。

また、データをうまく活用できる人とできない人との差が、これから拡大するだろう。問題は単なる技術的な知識だけではない。そもそも、考え方の基本が問題だ。統計的なデータを用いて問題を考えるという態度が求められているのである。

教育システムの再構築が必要

日本におけるデジタル化の問題としてこれまで指摘されてきたのは、ファクシミリの利用や、印鑑を本人証明に使っているといったことだ。これらの改革が必要なことはいうまでもない。しかし、それだけが問題ではない。

データをいかに蓄積するか、そして、それを処理するシステムが構築されているかどうかが、大きな問題である。日本の企業では、これまで、データの活用が十分に行なわれてきたとはいいがたい。

これまでは、それによる弊害がさほど明らかになっていなかったが、今後は、それが大きな問題になるだろう。昨今、リスキリングが必要といわれる。最も重要なのは、こうした変化に対応することだ。

しかし、それは簡単にできることではない。数時間の講義で十分というわけには、とてもいかない。アメリカではビジネススクールで2年間かけて教育している内容である。

この状況に対応する教育システムをどう構築するか考えられなければならない。最近でこそデータサイエンス学部がいくつか開設されているが、まだまだ十分とはいえない。

生成AIの発達に伴って、前項で述べたような形のデータ活用が、全世界的に、かつ爆発的に増えるだろう。どうすれば日本がその流れに対応できるかが問題だ。政府は、生成AIを国会答弁に活用するということを提案している。しかし、こうした見当違いな方策ではなく、右に述べたような状況にどのように対応するかを考えるべきだ。

第8章のまとめ

1 英語（外国語）教育では、人間の教師からChatGPTへの代替が進むだろう。他方、数学では、人間の教師の役割が依然として大きい。国語や理科・社会科は、これらの中間だ。どの教科でも、「何を学ぶべきか」を指導するのは、人間の教師の重要な役割だ。

2 文部科学省ガイドラインの方針では、ChatGPTだけでレポートを書くことを禁じている。しかし、この方針を実行しようとすれば、教育現場では、様々な問題が発生するだろう。生成AIを積極的に取り入れる方向に大転換すべきだ。

3 就職活動でのエントリーシートをChatGPTを使って書く時代になっている。この機会に、エントリーシートはやめにすべきだ。その代わり、企業は、学生の専門知識を採用判断の基準にすべきだ。ただし、そのためには、大学が厳正な成績評価をしなければならない。

エントリーシートに書かれる「ガクチカ」で学生を評価するのは、もともとおかしなことだ。ＯＪＴへの依存からの脱却と、生成ＡＩに対応した教育システムの構築が必要とされる。

第9章

生成ＡＩが知の独占を破壊する

――大学は生き延びられるか？

1 生成ＡＩの利用コストはなぜ低い？

ChatGPTは、事前学習のコストを支払っていない

ChatGPTなどの生成ＡＩについて、人々はごく当然のことと捉えて関心を持っていないが、実は非常に重要な点がある。それは、生成ＡＩのサービスを無料、あるいは非常に低いコストで使えることだ。

誰もがこれを当然だと思っているので、格別の議論がなされることはない。しかし、無料あるいは非常に低いコストで使えるのは、実は、当然のことではない。いくつかの条件が満たされるからこそ可能になっているのだ。

これを可能にしている第1の理由は、事前学習に使っているテキストの利用に、ChatGPTの開発者であるオープンＡＩが費用を支払っていないことだ。

ただし、この問題については、ニューヨーク・タイムズがオープンＡＩに対して訴訟を起こ

している。その結果はまだまだ分からないのだが、場合によっては、オープンＡＩは、かなり高い利用料を支払うことが必要になるかもしれない。

そうなった場合、他のメディアや著作権者が同様の利用料を求める可能性も十分ある。しかも、その流れは、アメリカだけでなく、全世界に広がる。そうなった場合に、ChatGPT の利用料金がどうなるかは、分からない。

基本モデルに特許料が必要ない

生成ＡＩのサービスを非常に低いコストで使える第２の理由は、ChatGPT の基礎になっている「トランスフォーマー」という大規模言語モデルの原理が論文の形で公開されており、そのアイディアを用いて現実に大規模言語モデルを作る際に、特許料を支払う必要がないことだ。

もちろん、このメカニズムはきわめて高度なものなので、誰もが簡単に実現できるわけではないが、そうであっても、特許料を支払う必要がないことは、実際の開発を著《いちじる》しく容易にしたと考えることができる。

実際、オープンＡＩは、それを行なって成功したのだ。大規模言語モデルのこのような特性は、これまでの技術とは大きく異なると考えることができる。

もちろん、ChatGPT の運営には費用がかかっている。第１に学習用データを整え、事前学習を行なうための費用がかかる。第2に、利用者の要求に応じて計算を行なうための費用がかかる。高価な半導体が必要であるし、電気代や冷却のための費用、さらに専門家の人件費等もある。

こうしたことがあるので、オープンＡＩもすべてのサービスを無料で提供しているわけではない。有料のGPT-4のサービスがあるし、ＡＰＩ接続での利用に関しては、料金がかかる。ただ、それらの料金も、リーズナブルな水準のものだ。また、GPT-3.5のサービスに関しては、利用料はかからない。このように、非常に低いコストでのサービス利用が可能になっている。そして、それを可能としている大きな理由が、以上で述べたように、学習用データの無料利用と、基本概念の利用に関する特許料が必要ないことだ。

マイクロソフトの出資でChatGPTの開発と運営が可能に

サービスを無料で提供するのは、生成ＡＩだけではなく、以前から多くのＩＴサービスに共通していたことだ。例えば、検索エンジンやＳＮＳがそうだ。ただ、これらのサービスについては、サービスの提供者が、得られるデータ（ビッグデータと呼ばれる）を利用してプロファイリングを行ない、それを用いてターゲッティング広告などを行なってきた。

ところが、生成ＡＩについては、このような方法で収益を上げることは、行なわれていない。

だから、開発と運営に関する費用は、完全には回収できないのではないかと推測される。その意味で、これまでのＩＴサービスとは異質な面があることに注意が必要だ。

オープンＡＩの場合、マイクロソフトから巨額の出資を受けることによって初めて、開発と運営が可能になったと考えられる。GPT-3の学習コストは数百万ドルから数千万ドル（数億円から数十億円）の範囲だったと推定されている。

こうした巨額の費用をかけての開発は、マイクロソフトの出資がなければ不可能だっただろう。マイクロソフトは、２０１９年7月に、オープンＡＩに10億ドル（約１０８７億円）出資した。これに加え、２０２３年１月23日には、今後数年で数十億ドルを追加投資すると発表している。

2

教会と大学という「ギルド」が知識を独占した

生成AIと対照的な中世の「知のギルド」

本章の1で見た生成ＡＩの性格は、中世ヨーロッパにおけるギルド（職業別組合）と対照的だ。ギルドの本質は、知識を一部のメンバーだけで独占し、それによって独占的な収益を確保することだった。

様々なギルドが存在した。多くは、手工業者や大商人の集団であった。この言葉を拡張解釈すれば、キリスト教教会や大学も、ギルドの一種だったと考えることができる。これらは、通常「ギルド」とは呼ばれないが、その本質的な性格は、知の独占だ。

「知のギルド」の最高位にあったのが、カトリック教会だ。神の教えを独占し、それを教会に集まってくる人々に教える。神の教えは聖書に書かれているのだが、それは筆写によってしか複製されていない貴重なものなので、一般の人々は見ることができない。仮に見ることができたとしても、ラテン語で書かれているので、一般の人々はその意味を理解することができない。一般の人々は、教会を訪れて牧師の教えを聞くことによってしか、神の教えに触れることができないのだ。このようにして、キリスト教の牧師は、所得と人々からの尊敬を約束された。

同様のことが、学問についても行なわれた。学問を修めるには、大学という最高学府で学ぶ必要があった。大学は知識を広める仕組みではなく、むしろ、知識を一部の専門家の独占物にとどめるような仕掛けを作ってきた。

それを典型的に表すのが、ラテン語の使用だ。中世ヨーロッパの大学では、専門的な知識は、ラテン語を用いて教えられていた。そこでは、医学、法学、哲学、神学の4学部を軸として大学組織が作られていた。

一般市民が、知りたい事項だけを直接に知ろうとしても、その手段がなかった。筆写でしか複製できない書籍は著しく高価であったし、そこに書かれているのは、日常用語とはかけ離れたラテン語であるからだ。ラテン語は、学問の世界においても、知識が一般の人々に拡散することを防ぐための機能を果たした。

3

技術進歩による知のギルドの解体

活版印刷で、知のギルドが解体

「知のギルド」は、徐々に解体されてきた。

教会においては、宗教改革によって、神の教えが日常の用語で語られるようになった。そして、俗語で書かれた聖書が誕生した。

さらに、グーテンベルクによる活版印刷の発明によって、聖書の複製が簡単になり、コストが低下した。こうして、多くの人が神の教えの原典に接することができるようになったのである。以上のような過程によって、知の独占体制は徐々に崩れてきた。

それでも、一般の人々が大学に行かずに知識を修得するのは、容易なことではなかった。まず、書籍は、著しく高価なものだった。独学の苦学者たちは、書籍を入手するのにたいへんな苦労をした。ベンジャミン・フランクリンは、印刷所の徒弟になり、印刷所にある印刷物を仕事の合間に読んだ。エイブラハム・リンカーンは、借りることのできるすべての本を読んだ。アンドリュー・カーネギーは、篤志家《とくしか》が開放してくれた個人蔵書を読んだ。創設した鉄鋼会社で大成功した後、2500を超える図書館を設立したのは、その恩返しだったといわれる。*注

また、仮に書籍が得られたとしても、独学者が学問を修めるのは容易なことではなかった。学問は体系的に作られているので、特定のことだけを簡単に学ぶというわけにはいかなかったからである。

この状況を大きく変えたのが、百科事典の登場だ。フランス革命前に百科全書派と呼ばれる人々が編纂した『百科全書』は、知りたいことを直接に知ることを可能にしたという意味で、きわめて大きな革新であった。百科事典は、知識の大衆化に非常に重要な役割を果たしたのだ。

ITが登場して、知識の大衆化が加速した

ITの登場によって、この傾向がさらに加速した。1980年代にワードプロセッサーが普及し、文章を作成することが著しく簡単になった。そして、それをインターネットを介してき

*注　野口悠紀雄『「超」独学法　AI時代の新しい働き方へ』（角川新書、2018年）第2章の2。

わめて低いコストで配布することが可能になった。

ここで注意したいのは、**情報の生産と拡散のコストが低下しても、それによって、望む情報を得やすくなったわけではない**ことである。

むしろ、情報量が増えたので、その中から望む情報を見出すのが困難になり、混乱状態がもたらされた。1990年代の終わり頃のインターネットの世界は、そうした状況に陥《おちい》りつつあった。検索エンジンがいくつか登場したが、見出したいサイトが必ずしも上位に示されるわけではないので、ナビゲーター役を十分に果たすことができなかった。

私はこの状況を見て、「インターネットによって得られる情報の量は増えたが、望む情報がどこにあるのか分からない。インターネットは混乱の世界でしかない」と思った。

検索エンジンとChatGPTの重要な意味

2000年頃に登場したGoogleの検索エンジンが実現したことは、まさに革命だった。重要と考えられるサイトが一番上に表示されるようになったからである。それまでは、例えば「NTT」という言葉で検索をしても、NTT本社のサイトはずっと下のほうに表示されてしまい、どこにあるのか分からない場合が多かった。上位に示されているのは、NTTに関係はあるが、あまり重要でないサイトばかりだったのである。

ところが、Googleの検索エンジンだと、NTTの本社が一番上に表示される。これによって初めて、膨大なインターネットの情報の海から、見出したい情報に辿り着くことが可能になった。Googleの検索エンジンによって初めて、ウェブから望む情報を取り出せるようになったのである。このことの意味は、計り知れないほど大きい。私は、Googleの検索エンジンでNTT本社のサイトが一番上に表示されたときの感激を、いまでもよく覚えている。

ChatGPTは、知りたい情報にさらに容易にアクセスすることを可能にする。第1章で述べたように、検索エンジンで調べても、表示されるサイトには知りたいことが書かれていない場合が多い。書いてあっても、よく分からない。さらに突っ込んで調べたいが、それができない。こうした要望に、ChatGPTは応えてくれる。

4

ChatGPTが大学を解体する

大学の意味が問われる

知の独占が崩れていく中で、大学や大学院は、二重の意味で存在意義を失うことになる。

第1に、専門家の仕事をAIによって自動化できる。したがって、その価値が低下する。あるいは、なくなる。そのため、専門家を育成する必要性がなくなる。したがって、費用を払って専門的な教育を受ける人がいなくなる。

第2に、専門家の必要性が残るとしても、その育成に必要な専門的知識はChatGPTが教えてくれる。だから、大学で学ぶ必要がなくなる。これは、多くの大学、とくに私立大学の経営に対して甚大な影響を与えるだろう。

初等教育や中等教育については、こうした変化にかかわらず、その必要性は明らかだ。ここでは、社会の構成員となり、他の人々と共同生活を行なうための基本的な知識を教えているからだ。また、人格の形成といった重要な役割があるからだ（第10章参照）。このため、誰にとっても必要なものだ。これをChatGPTで代替することはできない。

これに対して、大学や大学院などの役割は、高度専門家を養成することにある。これまでは、法学部や医学部で教育を受け、そして司法試験や医師国家試験に合格すれば、生涯にわたって社会的な尊敬を受ける職業に就くことができた。他の学部の場合にも、専門分野によって差はあれ、同様のことが期待できた。つまり、大学の教育は実利的な意味を持っていた。しかし、その価値が低下してしまうのだ。

弁護士や医師がすぐに不要になるわけではないが、その必要性は、徐々に薄れていくだろう。**知の独占が崩れていくのは、長い歴史の中での必然的な変化**だと考えられる。

要請される大学の変化

これを受けて、大学の形態は変わらなければならない。では、それに代わって、どのような知の世界が現れるのか？　もちろん、現時点では、高等専門教育をChatGPTに完全に任せることはできない。ChatGPTにハルシネーション（幻覚）という問題があり、誤った答えを出す場合があるからだ。しかし現在でも様々な方法によってこれに対処することは可能だ。そして、将来は、さらに改善されるだろう。

個別教育が可能という点は、きわめて大きな利点だ。したがって、現在は人間の教師によって行なわれている専門知識の伝達という役割は、徐々にChatGPTに移行していくことになるだろう。そして将来、ハルシネーションの問題が解決できれば、専門知識の伝達という機能は大きくChatGPTに移行していくだろう。

では、それによって大学の存在意義はなくなるのだろうか？　そんなことはない。大学が行なっていることは、知識の伝達だけではないからだ。それ以外に重要なこととしてつぎの2つがある。第1は基礎研究。つまり、民間の企業や研究機関ではできないような基礎的な研究を行なうことだ。第2は、学生の成績の評価だ。

これらの機能が大学に残り、専門知識の伝達はChatGPTに任せていくという方向が考えられる。なお、日本では、このような変化によって、受験勉強の体制が変化することも考えられる。

日本の私立大学は生き延びられるか？

大学機能の変化に関連して問題となるのは、多くの私立大学だ。しかも、日本の場合には、以上で述べた事情に加え、若年者人口の減少という問題がある。

18歳人口は、1991年をピークに、その後は基本的に減少している。このため、大学進学率が1990年代の30%台から2002年以降は40%台となり、さらに2009年からは50%台となったにもかかわらず、大学入学者数はほぼ60万人で一定となった。2014年度を境に増加傾向となり、2021年度には62・7万人となった。

このような傾向は、大学の経営に大きな影響を与える。実際、多くの私立大学で定員割れが生じている。文部科学省の資料によれば、私大の48%が入学定員未充足だ。*注

これらの大学の中には、研究活動も十分に行なえていないところが多いだろう。また厳密な成績評価を行なっているかどうかもたいへん疑問だ。つまり、知識の伝達以外の大学の役割として先に挙げた2つの機能を、十分に果たしているとは考えられない。こうした大学が、生成AIの時代にいったいどうなるのか、大きな問題だといわざるをえない。

日本の大学の行方についての真剣な検討が必要だ。

大学の講義とは?

本章の最後に、「大学の講義とは何か?」に関する、つぎのような強烈な定義を紹介しよう

＊注　文部科学省、中央教育審議会総会（第137回）会議資料「参考資料集」2023年9月25日。

（これはマーク・トウェインの作といわれているが、確証はない）。

College is a place where a professor's lecture notes go straight to the students' lecture notes, without passing through the brains of either.

（大学とは、教授の講義ノートが学生の講義ノートに移っていく場所のことである。どちらの頭脳も通過することなしに）

「どちらの頭脳も通過しない」というのが、皮肉の効いたところだ。

教授が自分のノートを読み上げ、あるいは黒板に板書し、それを学生が自分のノートに書き写すということは、中世の昔から連綿と続けられてきた方法だ。

中世の大学だけではない。実は私自身も経験したことがある。私は大学の教養課程のときに、ある法学部の教授の講義を聞いた。教授は、講義が始まってから終わるまで、ひたすらノートを読み上げるだけだった（黒板に板書することもない）。学生は、それを自分のノートに筆記しているだけ。学生が筆記している間、教授は一休みするのだが、なんとも滑稽《こっけい》な光景だった。この教授の講義は、先ほどのジョークのとおりだった。大学が技術の進歩にいかに無関心であるか（あるいは対応しないか）を、端的に示すものだ。

その後、IT機器やインターネットを利用できるようになって、大学の講義の方法もずいぶん変わった。このような教授は、コピー機が登場した時点で、すでに無価値な存在になったはずだ。生成AIによって、それが決定的になるだろう。

なぜなら、知識が教授のノートになる前に、ChatGPTが個々の学生に直接知りたいことを教えてくれるからだ。教授のノートは必要ないし、大学も必要ない時代が訪れるだろう。

第9章のまとめ

1 ChatGPTは、その価値に比べて低いコストで利用可能になっている。その大きな理由は、事前学習に用いているテキストに利用料を支払っていないことと、基本モデルに特許料を支払う必要がないことだ。

2 ChatGPTと対照的なのが、中世ヨーロッパのギルドだ。大学は、「知のギルド」としての性格を持っており、知識を独占するために、ラテン語の使用などの仕掛けを作った。

3 活版印刷という技術革新が、知の独占を破壊した。それでも、独学者が学問を修めるのは容易なことではなかった。

百科事典は、知識の大衆化に非常に重要な役割を果たした。ＩＴの進展、とくに検索エンジンの登場は、この傾向に拍車をかけた。ChatGPTによって、知りたい情報にさらに容易にアクセスできるようになった。

4

ChatGPTは、専門家が果たしている役割を代替し、専門家の育成をも受け持つことにより、知のギルドの崩壊をさらに進める。その中で大学が生き延びることができるか否かが問われている。日本の場合には、若年者人口の減少という問題が重なるので、状況はさらに厳しい。

第10章

社会生活の訓練が学校の最終的役割

1

『ハリー・ポッター』に見る学校の役割

社会生活の訓練が必要

学校の大きな役割は、いうまでもなく知識の伝達だ。だが、果たすべき役割は、それだけではない。社会的な共同生活を行なう訓練の場として、学校は重要な役割を果たしている。とくに、学齢期の子供や若者たちにとってそうだ。

動物にも、社会を形成して共同作業を行なうものがいる。例えばアリやハチがそうだ。しかし、その社会構造は、あらかじめ決まっている。その中での個体の役割も、生まれたときから厳密に決まっており、死ぬまでその役割が変わることはない。個体は、本能に従ってその役割を果たしていくだけだ。

しかし、人間が作る社会は、これとは違う。社会の中でどのような役割を果たしていくかは、生まれたときには分からない。また、個人が社会的な生活をする準備もできていない。

人間は、もともと社会的な生活をするように作られているのかどうか、疑問だ。社会的な生活をする能力は、訓練によって獲得するのだろう。そして、その訓練を行なうのが学校だ。学校で、友達と勉強の競争をする。あるいは、様々な情報を交換し、教え合う。様々なことを共同で行なう。一緒に喜び、悲しむ。こうしたことを通じて、友人関係が作られていく。多くの人にとって、最も重要な友人は学生時代に作られたのではないだろうか？

ChatGPTでは代替できない学校の役割

個人が社会の一員としての役割を果たすために学校が果たすべき役割として、つぎのようなことが挙げられる。


第1に、異なる背景や価値観を持つ生徒たちの交流の場となり、コミュニケーション能力や協調性を養う機会を提供する。

第2に、社会の基本的な価値観や倫理観、そして公共の福祉に対する意識を養う。

第3に、異なる文化や背景を持つ生徒との交流を通じて、多様性を尊重する態度を育む。

第4に、自分自身の興味や能力を理解し、それを表現する方法を学ぶ。

第5に、学校のルールや規範を守ることによって、社会全体のルールや規範に従うことの重要性を理解する。

こうしたことは、ChatGPTからは学べない。それは、今後も変わらないだろう。一人一人が家にこもって、PCに向かってChatGPTと対話しながら勉強をしていくというような社会は、考えられない。人間にとって、学校での集団生活はどうしても必要な過程だ。

ホグワーツ校で学生時代を過ごせたら!

右に述べた学校の役割を典型的な形で示しているのが、J・K・ローリングの『ハリー・ポッター』シリーズの物語に登場するホグワーツという学校だ。

これは、魔法使いの養成学校だ。イギリス全土から、魔法使いの子供、あるいは人間の子供であっても魔法使いの能力がある者に、入学のための招待状が送られる。学校は、人里離れた山の中にあるお城のような建物で、寄宿制になっている。

ここで闇の魔法使いとの戦いなどのドラマが展開されるのだが、学校の日常生活の描写も、とても魅力的だ。授業の様子や、「グレイト・ホール」(Great Hall) と呼ばれる大食堂に集まっての会食の様子など。この物語の魅力は、波乱に満ちた敵との戦いだけでなく、この学校での生活の描写にもある。それが、物語の中できわめて大きな比重を占めている。

このような学校で学生時代を過ごすことができたら、なんと素晴らしいことだろう。これは、「パブリックスクール」として知られる、イギリスの上流階級のためのエリート養成の寄宿制学校の状況を思わせる。[*注]

パブリックスクールとしては、イートン、ハロウ、ウィンチェスター、ラグビーなどが有名だ。アメリカでは、この伝統を真似て作られた「プレップスクール」という学校がある。

また、ケンブリッジやオックスフォードなどのイギリスの伝統的な大学や、アメリカ東海岸の伝統的な大学（アイビーリーグと呼ばれる）も、学部は寄宿制が原則だ。

これは、学校での集団生活が、人格形成においてきわめて重要な役割を果たすという認識があるからだ。この制度は、アメリカ・イギリスの基本的な社会制度の一部になっている。

なお、ドイツやオランダのギムナジウムも、大学進学を目指す生徒のための学校であり、似

＊注　ただし、パブリックスクールは、批判や議論の対象にもなってきた。とくに、社会的階層の維持やエリート主義に関する問題がある。

パブリックスクールの起源は、学問や宗教教育を提供する目的で設立された中世の宗教的な学校や王立学校にさかのぼることができる。なお、植民地時代には、多くのイギリス人が植民地での任務のために海外に滞在していた。彼らの子供たちは、イギリス本国で教育を受けるために、パブリックスクールに送られることが一般的だった。

ない）。

た性格のものだ（ただし、エリート養成校という性格は、パブリックスクールの場合ほど強く

こうした学校の機能は、ChatGPTで絶対に置き換えることができないものだ。それは、生成AIが発達して知識の伝達がそれによって行なわれるような時代になったとしても、なおかつ残るものだ。学校での集団授業がなくなってしまうとは考えられない。一緒に勉強するという過程は、人間社会でどうしても必要なことであると思われる。

イギリスやアメリカの「カレッジ制」大学

イギリスのオックスフォード大学やケンブリッジ大学、アメリカ東海岸のアイビーリーグなどは、複数のカレッジから構成される。各カレッジは、独自の寮、食堂、図書館、スポーツ施設などを持っている。学生は（少なくとも大学生活の初めの数年間は）カレッジの寮で生活する。これによって、学生はカレッジのコミュニティと深く関わることができ、学問的なサポートや社交活動に参加する機会が増える。

カレッジには、学生やスタッフが一緒に食事をとる食堂がある。また、学生はチューターから個別に学問的なサポートを受けることができる。

カレッジ内では、様々なクラブや団体による、スポーツ活動などの社交活動が行なわれてい

る。

ただし、ChatGPT時代になれば、学校の役割もそこにおける教師の役割も、これまでとまったく同じでよいわけではなくなる。大きな状況変化が起きており、それに応じて、学校の役割も教師の役割も変わる。ChatGPTと集団教育との最適な組み合わせをどのようにして作り上げていくかが、これからの課題だ。

日本には全寮制の学校がほとんどない

日本には、全寮制の学校はほとんどない。スポーツのクラブや演劇の同好会などはあり、それらが全寮制学校の機能の一部を担っているという見方があるかもしれない。確かに、そうした評価はできるだろう。ただし、その機能には限度があるといわざるをえない。

また、そうしたサークル活動が自己目的化してしまうのも、どうかと思う。学校はスポーツ選手の養成所ではないのだ。

全寮制学校とサークル活動との最も大きな違いは、前者は、学生・生徒だけが集まって自主的に運営しているわけではないことだ。そこでは、教師の監督とコントロールが重要な役割を果たしている。そうでなければ、このような制度は混乱状態に陥《おちい》ってしまうだろう。教師の監督とコントロールは、全寮制でなくても必要なことだ。

日本の学校のように授業を中心にして運営される学校においても、そこでの生活をコントロールしていくために教師が重要な役割を果たしている。そして、今後も同じ役割を果たす必要があることが認識されるべきだと思う。

「コントロールされた社会集団」の意味

学校は、人間社会の縮図になっている。そこでは、協力や協働、学生同士の励まし合いがある。しかし同時に競争もあるし、やっかみやいじめもある。

現実の社会との違いは、学校の場合には、それらをコントロールできることだ。とくに、いじめや中傷、仲間外れなどを、教師がコントロールできる。それによって、集団が破綻《はたん》しないようにできる。これが現実社会との大きな違いだ。

ただし、日本の学校の場合に、このような役割が十分に果たされているかどうかは、疑問なしとしない。

学校での経験は、必ずしも万人にとって楽しいものではないだろう。仲間外れやいじめに遭《あ》って辛い思いをした人も多いに違いない。それが嫌で学校に行くことが嫌になってしまった人もいるだろう。このような人々にとっては、学校という集団生活がマイナスの結果をもたらしてしまったわけだ。

そして、こうした事態がもたらされてしまったのは、教師の責任も重大だろう。教師は、これまでは様々な雑務に追われて、こうしたことに十分な手当てをする時間的余裕がなかったかもしれない。今後は、そうした雑務の多くをChatGPTに任せることが可能になるだろう。それによって生まれた時間を活用して、ChatGPTにはできない仕事に、より多くの努力を注入することが可能になるだろう。学校の生活を運営することに、教師の時間のより多くが割かれるようになることを期待したい。

2

社会に出た後の勉強も重要

何歳になっても勉強で人生のコースを変えられる

本書では、学齢期における勉強を対象として、ChatGPTという新しい手段を用いることについて考えた。ただし、勉強は学齢期にだけ行なうものではない。社会に出てからの勉強も十分に可能であり、大きな意味を持っている。

新聞に「元暴力団組員が慶應義塾大学に合格し、司法試験に向けて勉強中」という記事があった。[*注] これはとてもよい話だった。何歳になっても挑戦が可能だというメッセージだ。

学齢期を過ぎたら勉強する必要はないとか、勉強しても意味がないと考えるのは、単なる思い込みにすぎない。何歳になっても、勉強によって人生のコースを大きく変えることができる。

そのことを、身をもって実証してくれた。読者の皆さんも、何歳になっても勉強に挑戦していただきたいと思う。

リスキリングが重要になった

学齢期を過ぎた後にも勉強が必要だとは、昔からいわれていた。これは、「再教育」とか「リカレント教育」と呼ばれていた。最近では、**「リスキリング」**（時代に即したスキルを身に着けること）という言葉が頻繁に使われるようになった。

リスキリングが必要になったのは、社会が急速に、しかも大きく変化するため、学生時代に身につけた知識や技能だけでは仕事をすることが難しくなったという事情による。政府も、リスキリングの重要性を強調している。そして、様々な補助策を講じている。

いったん仕事に就いた後で転職をするために、あるいは定年退職後の生活のために、資格を取ろうと考え、そのために勉強を開始する人もいる。新しい知識や技能は、何歳になっても学ぶことができる。**勉強は学齢期だけのものではなく、一生続けるもの**だという時代になった。

自由度が大きいので、どう進めてよいか分からない

本書で述べた勉強の方法論は、再教育やリスキリングにおいても基本的に当てはまる。ただ

＊注　「元組員の慶大生、司法試験の勉強中　42歳で算数からやり直した理由」、朝日新聞、2023年9月11日朝刊。

し、この期間における勉強は、いくつかの点で学校の勉強とは大きく異なる面もある。最大の違いは、自由度が大きいことだ。

そもそも、リスキリングの勉強をするかどうかの選択がある。学齢期の勉強は、義務教育期間はもちろんのこと、その後の勉強も、多くの人にとって疑問の余地なく必要なものだ。ところが、仕事に就いた後で、わざわざ時間を割いてまで勉強をする必要があるかどうかは、個人の判断に委ねられている。

さらに、何を勉強するかの選択がある。これを自分で決めることができる。あるいは自分で決めなければならない。大学でも、専攻の決定は、個人の選択に委ねられている。そして専攻を決めれば、ある程度の方向性は決まる。しかし、その範囲においてどのような内容の勉強をするかは、大学がカリキュラムで決めている。

これに対して、リスキリングの場合には、細部に至るまで自分で決めることができる。あるいは決めなければならない。これは決して簡単な課題ではない。独学の場合には、どの程度の時間をかけて勉強していくかも、自分で決める必要がある。

自由度が大きいことは、自分のやりたいことができるという意味では望ましいが、その反面、何をどう進めたらよいか分からないという問題もある。

学校か独学かの選択をChatGPTが大きく変える

さらに、学校に行くのか、インターネットなどで提供されている講座を受講するのか、それとも自分だけで勉強するのかを決める必要がある。

これまでは、リスキリングにおいても、学校に行ったり、講座を受講したりする人が多かった。ところが、ChatGPTが現れて、この条件が非常に大きく変化した。

独学の場合の大きな問題はカリキュラムを作ることであり、これが非常に難しかったのだ。ところが、ChatGPTがこの面において大きな力になってくれる。このため、学校か独学かという選択に関して、独学の優位性が高まったのである。

自分が本当にやりたいことは何か？

まず、勉強のテーマを決める必要がある。学生のときの専攻は、あまり深く考えずに決めてしまったという人もいるかもしれない。それに、法学部とか経済学部とかいう括《くく》りはきわめて大雑把なものであり、その中での自由度は非常に大きい。法学部や経済学部というのは、事実上専門を決めていないのと同じということもできる。

しかし、リスキリングとなればそうはいかない。方向性をはっきりと決めることが重要だ。

多くの人は、リスキリングの対象を決めるときに、この勉強をすれば、どのような仕事に就けて、収入はどのくらいで……というようなことを考えるだろう。こうした考慮は、もちろん必要だ。ただし、それより自分が本当にやりたいと思うことをはっきりさせることのほうがもっと大事だ。そうでなければ、リスキリングの意味がない。

学校の場合には、学校がカリキュラムを用意し、教師がその内容を教え、進捗状況もチェックしてくれる。エスカレーターに乗ったようなもので、いわば自動的に勉強ができる（本当は、学校の勉強においても、受動的に授業を受けるだけではなく、積極的な参加が必要なのだが、学校での勉強が自動的に進むことは間違いない）。

このように、社会に出て以降の勉強において、ChatGPTをどのように使えるかが、重要な課題だ。リスキリングに関わるこうした問題については、別の機会に論じることとしたい。

第10章のまとめ

1 社会的な共同生活を行なう訓練の場として、学校は重要な役割を果たしている。『ハリー・ポッター』のホグワーツ校に、その理想的な姿が描かれている。現実の世界では、欧米のパブリックスクールやプレップスクール、大学のカレッジ制での教育が、こうした面を重視している。

2 社会に出た後の勉強も重要な課題だ。何歳になっても勉強で人生のコースを変えられる。ChatGPTは、独学でのカリキュラムの作成で重要な役割を果たす。

マ行

ラ行

ワ行

タ行

ナ行

ハ行

サ行

索引

英字

ア行

カ行

野口悠紀雄（のぐち・ゆきお）
1940年、東京に生まれる。63年、東京大学工学部卒業。64年、大蔵省入省。72年、エール大学Ph.D.（経済学博士号）。一橋大学教授、東京大学教授（先端経済工学研究センター長）、スタンフォード大学客員教授、早稲田大学大学院ファイナンス研究科教授などを経て、一橋大学名誉教授。専攻は日本経済論。
近著に『どうすれば日本経済は復活できるのか』（SB新書）、『日本が先進国から脱落する日』（岡倉天心賞受賞）、『超「超」勉強法』（以上、プレジデント社）、『「超」創造法』（幻冬舎新書）、『日銀の責任』（PHP新書）、『プア・ジャパン』（朝日新書）、『生成AI革命』（日経BP）ほか多数。

note
https://note.com/yukionoguchi/

X（旧：ツイッター）
https://twitter.com/yukionoguchi10

野口悠紀雄Online
https://www.noguchi.co.jp/

ChatGPT「超」勉強法

2024年3月15日　第1刷発行

著　者　野口悠紀雄《のぐちゆきお》

発行者　鈴木勝彦
発行所　株式会社プレジデント社
〒102-8641
東京都千代田区平河町2-16-1　平河町森タワー13階
https://www.president.co.jp/
電話　03-3237-3732(編集)/03-3237-3731(販売)

デザイン　水戸部 功

販　売　桂木栄一　高橋 徹　川井田美景　森田 巌　末吉秀樹
庄司俊昭　大井重儀
編　集　村上 誠
制　作　関 結香

編集協力　大川朋子・奥山典幸 (株式会社マーベリック)

印刷・製本　中央精版印刷株式会社

ISBN978-4-8334-4060-8
Printed in Japan